星を見る人

日本語、どん底からの反転

恩田侑布子

春秋社

はじめに

いつもの大通りを運転していた。ビルの屋上から見なれない長い垂れ幕が掛かっている。青地にくっきりとした白い文字。

「海洋散骨　毎週出航中！」

えっ、仏壇屋のはずが……。はかばかしくない仏壇より、パッパッとゆく散骨稼業なの。先だっても、元パイロットの知人と話をしていて不安になった。

「わたしは次男でまあ、よかったけどさ、それでも九州の田舎まで三回忌も七回忌も実家に帰ったからね。骨は海に撒いてくれるように子どもたちに言ってある。負担をかけたくないから」

さまざまな事情もあろうが、亡き親を弔い、供養することが「負担」だろうか。負担をまぬがれた子や孫はせいせいするのだろうか。若いころ、新聞広告で『人は死ねばゴミになる』というタイトルに驚き、それが検事総長の本とあって震え上がったことがあった。散骨風景に福島原発の汚染処理水の海洋放出がダブって来た。骨は二ミリ以下の粉骨パウダーにすれば法律に触れない。しかも、墓下の先祖もまとめてさよならすれば、「複数散骨割引」で「だんぜんお得！」と、ネット広告には吹き出しの赤字がおどっている。

わたしは静岡市の西端の山中に住んでいる。山と川に挟まれた町内の入り口には、市立と私営、二つの動物関連施設がある。市立のほうで、十三歳の愛犬ミルティーを火葬し共同埋葬してもらった。散歩がてら、たまに手を合わせに行く。慰霊碑には色とりどりの供花があふれ、こっちのほうが慰められて帰ってくる。

すぐ隣に、私営ペット霊園がある。個別の火葬料はミルティーの数十倍。墓地公園の一匹ごとの「家族墓」は三十年で人間なみの値段。なのに、春秋の彼岸になると、街道は「うちの子」の法要に来る車でごったがえす。「檀家」の医者の奥さんによれば、盂蘭盆会や歳末供養祭、三回忌や七回忌の大法要まであるという。

犬猫は遠忌まで追善法要を勤め、人間の骨は海に撒いておしまい。「顛倒夢想（てんどうむそう）」という仏教語を思い出す。二〇〇六年には『千の風になって』という歌が流行った。私は墓にいません。「千の風になって……大きな空を吹きわたっています」。秋川雅史の豊かな声量に、何千年の葬送儀礼と習俗は、吹きとんでしまったのだろうか。

人類は太古から愛する人の死に、この世に生きた標（しるし）と、かけがえのないたましいを弔う〝よすが〟を求めてきた。ケニアからは子どもの亡骸を埋葬した約八万年前の洞窟が出土し、三内丸山遺跡からは約五千年前の墓がみつかった。縄文人は、幼い子どもの骨を壺に入れて家のそばに埋葬していた。エジプトの空には四千五百年前からピラミッドが聳（そび）え、埋葬品は人類の精神の財産である。

三・一一後の東北の海辺では、せめて指一本の骨でもいいから帰ってきてと、親族がいまも遺骨を探し歩いておられる。

人類の文化は、死者を悼む弔いから始まった。散骨業者の船に乗るのも自由だが、経済だけでなく死生観までもが〝失われた三十年〟ではなかったろうか。死ねばゼロ。生きている間がすべて、という功利主義に覆われてしまった。それは生の時間までペラペラの透明フィルムにしてしまうことではなかろうか。浮薄の死生観は、ことばも薄っぺらにし、日本語は揮発してゆく。

格差社会で、核保有大国とそれ以外、富と権力を持つ者とそれ以外が分断されたように、人間の生と死も分断され、引き裂かれる。こうした近代以降の危機のなかで、痩せ細りジャンク化していく文化と言葉に全体重で抗って、生きて愛して表現してきた芳醇な人々がいる。しんじつの人間の声を、詩・俳句・美術・思想に刻んで、わたしたちのしょんぼりしがちな精神に滋養を与えてくれるゆたかな作品がある。本書はそれらについて思いの丈を書かせていただいた。こころある方にひもとかれ、一行でも響きあい共感していただければ、どんなにうれしくありがたいことであろう。

星を見る人　目次

III

VIII 現代俳句時評 159

星を見る人

日本語、どん底からの反転

序　星を見る人

「ＡＩ美空ひばり」が、死後三十年経って紅白歌合戦によみがえった。「百分の一秒単位に分解したひばりの声を二百万の指標で解析し、ディープラーニングを繰り返した」という。ＡＩにさんざんつっつき回されたひばりは病気前のふっくらした姿になってあらわれ、真珠色のドレスをひるがえし、変わらぬ艶やかな喉を聞かせてくれた。

子ども時代から没年までの声と映像の膨大なデータを適度にチョイスし合成して新曲を歌わせれば、不老不死のひばりがさえずる。死を回避する一つの答えがここに出されたわけだ。こうして死は、加藤和枝という生理学上の極私的なものとなり、二十世紀の伝説の歌姫の死は無かったことになる。資本主義と大衆迎合主義（ポピュリズム）に死は要らない。有名人や超富裕層はＡＩによって「永遠の生」を得ることになるだろう。

紅白の前、新型コロナウイルスが武漢に誕生したかどうかのころ、『スターゲイザー(星を見る人)』という純白の小像をみた。東京国立博物館の東洋館であった。アナトリア半島西部、ギリシャに近い現在のトルコの出土品で、紀元前三〇〇〇年頃のものという。斬新なフォルムだ。神か人かさえわからない。鳥のようでもあるし、宇宙人のようでもあった。わたしには美しいひとりの女性にみえた。全身から潺潺(せんせん)たる泉のような感情が涌き立っていた。いったい、このやさしさ、明智、奥ゆかしさはどこからやって来るのだろう。平均寿命が三十歳に満たなかったという古代人は、この小像にどんな祈りをこめたのだろう。身丈がわずか二十センチほどの白像が目の前で宇宙大に広がっていった。

『スターゲイザー』に向き合っていると、自分の子ども時代のぷくぷくしていた手も、血管がみみずのように浮いて関節が木の瘤のようになったこの手も、束の間の変化に思われた。わたしはささやかな波として流れ去る。そのときだった。ふしぎなことに気づいた。テレビでAIの美空ひばりを見聞きしていたとき、自分は少しも死ぬような気がしていなかったことに。

現代はITとバイオテクノロジーがキー・コンセプトの社会である。いまから十年後の俳壇を牽引する俳人は、きっと二手に分かれていることだろう。一方の雄は、AIをプロデュースするテクノ俳人である。生成AIに人間の情動を刺激するバイオメトリックアルゴリズムにのっとった句を作らせ、発表媒体に合わせて自選させる。そこからテクノ氏が最終の選句をして、それを自作として発表する。そこにはなんの感情もいらない。いっそ、邪魔である。おしゃれな装飾品を選ぶようにＡＩ作品をチョイスすればいい。いくらでも九十五点の句を並べられる。大家テクノ氏の技能は、もはや時代と寝るセンス一つにかかっているのだから。

単純率直に申しますと、形而上学的な深みを欠いた水平的言語コミュニケーションは、禅に言わせれば実存的意味のないあだ事であります。

Ｘ章で詳述する井筒俊彦『意識と本質』にある言葉である。あだ事、フェイクこそ旨味になる時代である。話題のチャットＧＰＴに代表される生成ＡＩは膨大なデータから確率論によって、最適解の単語を次々につないでゆく。それは大海の表面の「はりぼて」にすぎない。規格品の実用文はスピーディーに難なく作れるが、そこに創造力のダイナミズムが働くことはない。横紙破りはあられないのだ。なぜならモーツァルトの『魔笛』も、北斎の『冨嶽三十六景』も、ピカソの『ゲルニカ』も、すべての芸術は人間の足元の苦悩と感動と、形而上の憧憬とを往還する葛藤のなかからしか生まれようがないものだから。

すでに宇宙船地球号の甲板は狭い。乗員には未曽有の危機が迫っている。地球各所に感染症が蔓延するスピード。地球温暖化。生態系の崩壊。格差社会による分断。ＡＩは雇用を奪い、超エリート企業はビッグデータを寡占する。世界の軍事費は歴史上のピークを画し、核で脅して主権国家の領土を侵略する国もある。テロ絡みの核戦争の脅威から逃げおおせる場所は地球のどこにもない。

この国では、何事も旧態依然で、世界底辺に張り付いた男女格差(ジェンダーギャップ)は正直に少子社会を招来した。これは日本の女性一人ひとりのしずかな反乱である。不足する労働力はもはや高齢社会を支えきれない。原発事故は未来世代に莫大な負担を強いる。ゲームとスマホ漬けで読解力は衰弱し、語彙のまずしさは認識をがさつにする。視野と感情は断片化し、現代詩は凍える。文学評論は瀕死となり、俳句は名句も駄句も味噌クソ一緒。バラエティー番組のオモチャの太鼓だけが音高い。

日の丸に日本はない。日本語のゆたかな語彙のなかに日本はある。その日本が痩せ細ってゆく。情報社会の奔流のなかで、言葉は陰翳をなくし、記号と同等の「情報」になり下がりつつある。かつて文学は匂い立つものであった。松浦寿輝は文学を「超＝意味論的な過剰、残余、欠落、余白がちりばめられている」ものであるという(「平準化と特異化」『神奈川大学評論』第八十七号、二〇一七年)。ひそみに倣えば、俳句は感情、認識、気息、風土であり、それらの息づく余白をふくむ。

いまも外国で人気の日本文化といえば、マンガ、ゲーム、俳句の三つ。前の二つは外貨も稼ぐ優等生だ。俳句は稼がない。そのぶんこころをあたためる。西欧から発した近代文明が前のめりで驀進してきた二百年余り。進歩や富栄とは違う価値と生き方があるよ。ここらへんで地元でゆっくりやるのもわるくない。世界中の人々がすでに、気の合った仲間とぼちぼちこころを通わせるＨＡＩＫＵを愛し、輪をひろげている。

私事だが、ポール・クローデルの俳句『百扇帖』のシンポジウムで渡仏したときのこと。発表の翌々日、インフルエンザでパリの病院に担ぎ込まれた。思いがけず看護師が俳句好きだった。来院の電話を聞いて、わたしなんかと話すのを楽しみに待っていてくれた。彼女は眼を輝かせた。

「こちらの学校では新学期にノートや名札にたくさん名前を書きます。そのブルーインクを秋の季語にしたいんです」

「まあ、青いインクを季語に。セ・ボン！」

フランスで『フランス歳時記』が愛される日は近いだろう。

AIとメタバース、そしてバイオテクノロジー産業が世界中をのっぺらぼうに地均してゆくのに、手をこまぬいてはいられない。どんなに薔薇が好きでも、ゆく先々が百万本の薔薇の街一色になったら悪夢だ。土にかがんで、犬ふぐりや露草のぽっちりと小さな青を愛でていたい。土地の自然に親しく子どもたちを育てて、先祖代々のぬくもりのあることばで暮らしたい。

これからは感情をふくよかにする地に足ついた暮らしが逆に見直されるのではなかろうか。地域の差異と多様性をかがやかせる新たな社会にむかって、俳句はささやかながら一役買えるかもしれない。精神を置き去りにした経済至上主義ではもう地球はやっていけないのだから。

彼女は病院の廊下で、パリでみられる九月のとある花の美しさをきらめくように語ってくれた。石、石、石だらけの古都に訪れるまぼろしの花を、わたしは三十九度の熱にうなされながら想像していた。患者のふーふーいう息からの感染も怖れぬ熱意にわたしは脱帽した。病院の玄関まで送ってくれたのはすでに「同志」のやさしさであった。タオレてる場合じゃない。俳句は生きる力を地球号の乗組員に与えてくれる。いつどこにいてもおもいがけない感情移入（エンパシー）がおこる。日本というほっそりとした列島から、俳句という感情の大陸がすでに広がり出しているのだ。

人生は歩行だ。舞踊でも飛翔でもない。ましてや湯につかることでもない。駅へいつもの道を歩く。川のほとりを散歩する。見知らぬ遠い町を旅して歩く。そのとき、現実の風景と同時に感情の風景のなかもいっしょに歩いている。わたしたちの人生の同伴者はつねに感情である。

子規は「美の標準は各個の感情に存す」（『俳諧大要』岩波文庫）といい、その美の標準は文学の標準であり俳句の標準である、とした。ひと息で読める俳句に畳まれた深い感情を味わうのは生きるよろこびである。言葉に焚きしめられたいいしれぬ香を聞いていたい。わたしたちは感情によって時間を耕すことができる。それには人類の危機と困難の大地に、一人ひとりの足で立つしかない。季語をネット情報と同様のフィクションにしてしまっては、四十億年のいのちのリレーに申しわけが立たない。

ＡＩには、水の輪廻を繰り返す海のようなデリケートな感情や深層意識がない。ましてや汗を吹き、糞尿を垂れるやっかいな身體もない。言葉の影を操るだけだ。この一度きりの苦しみの多い生の足場から現代の『スターゲイザー』を探りたい。生成ＡＩという「実存的意味のないあだ事」に意味を与えるのは、明知と感情を持った生きる人間の方なのである。

Ⅰ

近代を踏み抜いて

『石牟礼道子全句集　泣きながが原』

いま、ビッグデータが注目されている。それは常時冷たく沸騰している。地球規模で収集される人と企業と国家の情報を、コンピューターが解析し、俊才が戦略化し、より強大な金権力を求める市場と結びつける。消費市場のマインドコントロールも、政治の投票行動の熱狂も、そこから創出がいくらでも可能になってゆく。

では、石牟礼道子の俳句はどうか。ビッグデータの解析から抜け落ちる。脱落し続ける。インターネット上の一サンプルにすぎないワタシは、いまかろうじて、童女「みっちん」のやわらかな右手にふれた。ふっくらと握り返される。いっしょに落ちよう。天の底へ。あの、和毛（にこげ）のような水のほとりへ。

近代の棺桶から半身を起こす

そういうみっちんも昭和二（一九二七）年の生まれである。中央から遠い天草生まれ水俣育ちといっても、その紅緒（べにお）の木履（かっこ）さえ、明治以降の脱亜入欧と拝金主義の波に攫（さら）われそうになっていた。

祈るべき天とおもえど天の病む　一九七三年

水俣病の患者と義をともにして、チッソや時の政府から蹂躙され「棄民」され続けた歳月が書かせた痛ましい俳句である。谷川俊太郎はじめ近代知識人にこぞって称賛された句でもある。「祈るべき天とは思うが肝腎の天自体が病み疲れている」。句意はわかりやすく衝撃的だ。が、どうだろうか。わたしはこれを代表句にはしてほしくないのである。なぜならあれほど近代の病をみすえ、近代以前の、無始のみなもとの脈動を聞いた道子が、あまりの現実の辛さと悲惨に「みっちん」を手放し、みずから近代の棺桶に半身をつっこんでしまった句だと思うからだ。座五の「天の病む」は近代人の解釈ではないだろうか。天は病まない。たとえ全人類が自滅しても。天は万物を芻狗（すうく）となす。人間ふぜいの枠をはるかに超えている。

しかし、逆にいえば、石牟礼のゆたかな文学に表れた土俗性や精霊が、ありのままの現実から無傷のまま掬いとられたわけではないことを掲句が証明している。「みっちん」はほんとうは刀折れ矢尽き、ぼろぼろなのだ。絶望の湖底から尾ひれを打って上がった天魚のうるおい。それが石牟礼文学であることを一句は教えてくれているのである。

無垢と異形

毒死列島身悶えしつつ野辺の花　　二〇一一年
角裂けしけもの歩み来るみぞおちを　　『天』

どちらも無季の句である。全身全霊で立ちむかった水俣の現実は、作者を季節の美に逃してはくれなかった。水俣病はたんなる公害問題ではなく、水俣は日本の特異点でもなかった。広島、長崎の原爆とともに、わたしたちの文明そのものの問題なのだ。「毒死列島」の句は、福島第一原発が炉心溶融した夏に発表された。痛めつけられた国土で「身悶えしつつ」花を咲かせ、ほほえまずにはいられないいのちに胸を打たれながら、「高級知識階層」の精神の荒廃に向き合った歳月は「角裂けしけもの」をみぞおちに引き受けるみずからの受難劇でもあっただろう。常人が感知し得ない異形のものを聞き澄ます詩人の感性は、どんなに現実に引き裂かれようとも、皮膚をぶあつく硬化させることはなかった。真の繊細さは、いじらしい強靱さの別名なのだ。

花びらの水脈（みお）越えてゆく蛇の子が　　二〇〇三年

「花びらの水脈」という鮮度の高い措辞から、ふくよかなイメージが涌き上がる。散り交いくもる花吹雪にまぎれる幼蛇。大地に散り敷いた落花の絹をすべるほっそりとした蛇の子。あるいは水脈を空間ではなく時間ととれば、飛花にうずもれる谷川と、落花のほとぼりもさめないはつなつの峠をひかりのように越える子どもの蛇がみえてくる。現実の蛇は夏に産卵するから、まぼろしはむしろ前者二つのほうかもしれない。が、作者の幻視の勁さは、涌き上がるすべてのイメージをうべなって変幻させる。水神であり、龍の化身でもあるいたいけな蛇の子は、いのちの豊饒をただ一心にことほいでいる。

やぶから棒な言い方を許してもらえば、わたしのなかで宇宙のエロスの仏龕の左扉は、芭蕉の〈雲の峰幾つ崩て月の山〉である。はげしい恋も懊悩も長大な時空のなかで月の山の寂寞に収斂してゆく。では観音開きの厨子の右扉には何がふさわしかろう。ハッとした。もしかしたらこの句が、三百年余の間、待たれていたのではなかったか。花の香に予祝され、ひもの端っぽのような腹を摺ってすすむかわいい蛇。こそばゆいよろこび。三千大千世界の葉にささめかれる幼蛇のいのちが。

たれもその齢をしらず花の朝

二〇〇六年春

みっちんの時間感覚は小説、詩歌句を問わず奔放自在だ。そもそも日本語は欧米語に比べて時制がきわめて曖昧な言語だが、この句はその極みといってもおかしくはない。晴れわたる朝の桜木が、いきなり始まりのない時間軸に立たされる。無垢としかいいようのない花の美しさは、たちまち途方もない宇宙の無限に結びつく。思い出す詩がある。

ふるさとの海のよわいをかぞえる
山のよわいをかぞえる
してみると
わたしのよわいというものは
いくつであったのか
インドの砂漠から
匍匐（ほふく）してくる　太陽よ

（『石牟礼道子全集・不知火』第十五巻「はにかみの国」藤原書店、二〇一二年）

詩人は原初を恋う。海も山も自分も太陽も桜も、もとはなんだったのか。どこから来たのか。いくら問うても答えるものはない。そこにこそ、生きて死んでゆくいのちの平等がある。大地を基盤とする源泉の宗教感情を「花の朝」は十七音に湛えて静まり返る。「俳句はエッセンス」よ。しじまの奥からみっちんのほほえむ声が聴こえる。

まだ来ぬ雪や　ひとり情死行　『天』

十四、五年にいちど天草は大雪になるという。雪は天地を荘厳する。でも、白い花は空からはだやって来ない。海の沖にぼうっと気配だけがする。情死は好きでたまらぬお方があればこそ。では「ひとり情死行」とは何なのか。

作者がともに死を願うのは生身の人間ではなかろう。この世ではない、もう一つのこの世のひと。それは雪の精霊だろうか。いやいや。新雪の山の奥にいる恥ずかしがりで姿を持たない、あの美しい声だけ、魂だけでいるという「迫(せこ)んたぁま」ではなかろうか。みっちんの身には、都会のコンクリートのなかに住む知識人には見ようとしても見えないもの、聞こえないものが、いつも切なく身に迫っていたのだ。

生前、文豪らしい顔をうさぎの毛の先ほどもしなかったひとが、筆のすさびではなく、こうして魂ギリギリの俳句を遺してくれたことに感謝したい。

システム解体の先へ

童(わら)んべの神々うたう水の声

いままでにみたこともない俳句だ。それが石牟礼道子の俳句の最大の特徴である。現代俳人のテクニカルな句はおおかた似通っていて、おうおうにして既視感につきまとわれる。一方、石牟礼の自前の感性と自前のことばは空恐ろしい。恐ろしいはずである。なぜなら、その自前というものが、個性などという安っぽいものではなく、何万年とも「齢のわからない」精霊と風土のいのちをどっぷり背負いこんだものであったのだから。

…わたしの百五十センチに足りない身長の中には、ご先祖さまからいただいた無限の年月や出来ごとがつまっていて、つまり、その時向きあっていた大宇宙に対して、わたしはその神秘さを読み解くべき「核」となって、今最初の岸辺にたどりついたのだ…

（『石牟礼道子全集・不知火』別巻「自伝」、藤原書店、二〇一四年）

ここから石牟礼がものを書く「岸辺」とは、大宇宙の無限の年月に洗われるきりぎしであることがわかる。それはつねに最初、という挑戦の前衛であった。

小説では『あやとりの記』をわたしはもっとも愛する。それは小説というよりも詩編である。俗世間では底辺に位置する登場人物一人ひとりのなんとあたたかく清らかなことであろうか。一本足の仙造やん、気のふれた祖母おもかさま、隠亡（おんぼう）の岩殿（いわどん）、犬（いん）の仔せっちゃん、ヒロム兄（あん）やん、馬の萩磨、はた織りの精霊髪長(かみなが)ばんば、山の精霊迫(せこ)んたぁま、そしてみっちん。深山の清流に身を浸すようだ。

　これらの土俗的ないのちは、けっして古代の生き残りなんぞではない。「人間の最後の声」なのである。それは近代のいっさいのシステムからかぎりなく遠くに甦った、いや甦ろうとする源泉のたましいそのものといえるだろう。

　たとえば夏目漱石をなつかしむとき、長編小説を再読しなくても〈菫ほどな小さき人に生れたし〉、〈無人島の天子とならば涼しかろ〉と、その俳句をつぶやけば、たちどころに人となりが彷彿とする。やはり、次の二句を口遊(くちずさ)めば、うつし身の石牟礼道子に会えなくても、そのふくよかな笑(え)まいに包まれてしまう。絶望とひねもすもやい合いながら、うぶうぶしい岸辺にたどりついた作者の「核」ともいえる二句をみてみよう。

　魂の飛ぶ狐ら大地をふみはずし　　二〇〇九年秋

たましいを自由におちこちへ抜け出させて遊ぶ狐たち。「魂(こん)」に狐の鳴き声を重ねたところもゆかい。そのなかの一匹こそは、みっちんにちがいない。しかも「大地をふみはずす」まで跳躍する。「矮小な枠組みを重ねただけのシステム社会。人とおもって話してきた人達も、みんなシステムの部分になって」いる現代の情報社会や、そのビッグデータを踏みはずし、踏み抜くのである。それは金銭崇拝という現代の共同幻想の枠組みを破るいのちがけの出魂である。あの世とこの世のまじわるところで虔しく魂をよびあう狐たち。童女のふんわりした頬っぺたも、初冬の尾花のかげにはずむようだ。

さくらさくらわが不知火はひかり凪　『天』

みっちんは、ふるさとで若くして水俣病を発症したひとたちと出会い、座視することなどとてもできなかった。チッソや厚生省の制度化された都市人間に絆をたち切られ「棄民」せられ、そのたびに患者とともに現実を背負いなおし、両肩の肉に食い入った辛さの、ほんの一端は想像できる。じつはわたしも、ふるさとの川の産廃もんだいで十数年間ぼこぼこのへこへこの目に遭った人間だから。しかし、作者はそうした恨みや苦悩の坑道を全身で掘りぬけた。その果てに、ひろびろと胸襟をひらいて、無始無終のいのちとともにうぶすなの海を讃えるのである。

句の「不知火」には両義がある。一つは別称八代海の名を持つ海の名前。二つは神話時代からの海上の怪火を意味する秋の季語。そこに掲句の、なだらかな海原と深い水底をともにもつ多層音楽(ポリフォニー)が奏でられる。「ひかり凪」に花時の凪ぎわたる海がひろがる。背後には妖火のちらめく精霊の海がときめくのである。音韻も、さくらのリフレインと十音のA母音は、異界めくひかりを一句にもたらす。座五はひかり凪の静穏に終熄する。内海は明け方の桜鼠の微光のなかにたゆたう。それは鏡のように平らかなばかりか、那由他の花びらがいっせいにそよ風にふるえるしじら波のきらめきでもあろう。

作者は、チッソの水銀ヘドロを閉じ込めた百間埋立地の上で、自身の新作能『不知火』が奉納上演されるまで、その一部始終を見届けた。

ここはどこじゃろうか、天底(あまぞこ)じゃ。天底ちゅうは天の底じゃ。あの天と、まっすぐつながっとるところぞ。そうか、桜は天と地とをつなぐしるしの樹じゃったか。

（『石牟礼道子全集・不知火』第十二巻「天湖」、藤原書店、二〇〇五年）

ビッグデータの解析から精霊のように脱落して、天底の桜は咲き誇る。そこは山でもあり、湖でもあり、またはるかな海でもあろう。

「いま・ここ・われ」は、近現代俳句の合い言葉であった。みっちんの俳句はそこからなんという遠い地平、なんという広やかな海と山のあいだに湛えられていることであろうか。

『石牟礼道子全句集 泣きなが原』（藤原書店、二〇一五年）より恩田侑布子選二十三句

『天』（一九八六年）より

角裂けしけもの歩みくるみぞおちを

死におくれ死におくれして彼岸花

まだ来ぬ雪や　ひとり情死行

紅葉嵐(もみじあらし)天の奥処(おくが)もいま昏るる

ふるさとは桃の蕾ぞ出魂儀(しゅつこんぎ)

ひとつ目の月のぼり尾花ケ原ふぶき

さくらさくらわが不知火はひかり凪

『玄郷』より

原郷またまぼろしならむ祭笛

『水村紀行』より

ことばなきは豊けし幾億の昔来る

湖底より仰ぐ神楽の袖ひらひら

花びらの水脈(みお)越えてゆく蛇の子が

童(わら)んべの神々うたう水の声

頰に伝う菜種の雨や特攻兵

たれもその齢(よわい)をしらず花の朝

地の涯へ雨ゆくらしや母恋し

魂の飛ぶ狐ら大地をふみはずし

毒死列島身悶えしつつ野辺の花

前の世にて逢はむ君かも花ふぶき

来世にて逢はむ君かも花御飯(まんま)

極微のものら幾億往きし草の径(みち)

われひとり闇を抱きて悶絶す

おもかげや泣きなが原の夕茜

〈補〉創作ノートより

わがうちに季語もねむれり虚空という鏡

Ⅱ　皮膜と「興」　草間彌生と荒川洋治

草間彌生　虚と実の二面性

国立新美術館で草間彌生の展覧会「わが永遠の魂」（二〇一七年）をみた。

体育館を思わせる巨大な空間を、上下二段組の畳二畳ほどの画が天井までびっしりと埋め尽くしている。百三十件の大作すべてが八十歳を過ぎてから描かれたことに吃驚する。明るくポップで、くどくない。なんという色彩の氾濫と諧調、なんという形態の蠢動（しゅんどう）と緊張であろうか。会場には老若男女が偏差なくいりまじっている。いや、それどころか白、黒、黄色、あらゆる人種がつめかけ、にこやかに恋人とささやいていていた。美術には文学のようなことばの壁がない。草間彌生はグローバルに流通し愛されている。

それは徹底的に表面を志向する抽象画だった。原色のアクリル画はいっさいの奥行きと厚みを排除し、何ものかの境界として、無限のけんらんたる膜をひろげていた。膣の夢みる宇宙のように。

奥行きのない皮膜はエロスのぬくもりと欲動に息づいていた。

草間は幼いときから幻覚や幻聴に悩まされてきたという。「今もいっぱい出てくる。幻覚なのか、視覚の中に現れてくる不思議な物体がある。それを描きとめる。だから、描くのが早いの」（朝日新聞、二〇一七年五月一七日）

現実の光景の上に網（ネット）や水玉がみえる症状は、夜間は病院で生活していることからも、病気といえばいえよう。しかし、幻視や幻聴の絶えざる侵襲こそが、草間の生理そのものの表現の土壌であり、独創的な創造の源泉なのである。草間は日常生活を侵してやまない幻覚という「虚構」を不断に主体的に心身に引き受け、虚と実のインターフェースに独自の造形を拓いてきた。長年の困難であったにちがいない格闘は、いまや世界でもっとも影響力のある百人に選ばれる結果を生んだ（二〇一六年、米タイム誌による）。

現代のグローバル・情報社会は電子文字や画像という虚構の洪水のような社会である。なまの人間や自然と接する時間よりも、パソコンやスマートフォンの画面に流れるうすい膜を覗く時間のほうが長い。そのなかで、いったいどのような詩歌表現が可能だろうか。草間は視覚芸術ではあるが、虚構とのつきあいかたという点で、幻覚と現実に橋を架けた芸術の二面性を考えてみたい。

「垂鉛」から「皮膜」の時代へ

文学は古代から生と死をみつめてきた。共同体の作物であろうと個人の作品であろうと、集団的な無意識や個人の内面という測深器による「垂鉛」からの表現であった。ところが現代のグローバル・情報社会の言語状況はどうであろう。そこでは死は決定的に置き去られる。電子画面(ディスプレー)には商品化した快適快美な生、いわば「永遠の生」だけが流れている。言語感覚のすぐれた人材は広告業界に吸い寄せられてゆく。彼らは大衆の消費を刺激することばの投網をかける。このとき、カネに奉仕することばは、楽しく心地よい包装紙の模様になるのである。人間精神は拝金主義に蹂躙され、身近なところでは大学の文学部廃止論が飛び交った。次々に全国の文学部は、国際、情報、環境、文化、構想などに看板をすげ替えていった。こうしてことばの芸術は「垂鉛」から「皮膜」の時代へと、衣更えをしたのである。深さから皮層の軽快へ。

草間芸術の二面性がここに浮かび上がる。

① 影を排除し表面を追求した形象は「皮膜」の時代と寝ているため世界的に売れゆきがいい。

② 「皮膜」はたんなる皮膜ではなく、無意識から湧き上がる幻覚という身体化された測深器「垂鉛」をもつ。

彼女ならではのこの特異な二面性をおさえておきたい。

想像力こそ不易のグローバル

さて、小論の主題はグローバル・情報社会における詩と俳句の営為である。

みずから商品になろうとせず、志を持して生きた同世代の俳人攝津幸彦(一九四七〜一九九六)と詩人荒川洋治（一九四九〜）をみてみよう。グローバル資本主義が猛威をふるい出すのはソ連崩壊の一九九一年以降である。その波に時代が呑みこまれる前と後の二人の作品をみることで、詩歌がこの時代を生き抜き、時代の証人になるためには何が大切であるかを愚考したい。攝津の第一句集『鳥子』（一九七六年）から一句。

紙の世のかの夜の華のかのまらや

「紙の世」は本や新聞の黄金時代を想像させる。発表より四十年以上経った電子書籍時代のいまのほうが、句のコクはいよいよ深い。「まら」とひらかれた男性器に、カカハナカマラヤと明るいA母音八音がかむさる花束効果。それをつなぐ「の」の六音のまろやかさ。攝津の音楽性に富んだ俳句はそのまま官能をやわらかに刺激してくる。アンディ・ウォーホルの清潔で抒情的なペニスのドローイングを思い浮かべてもいいが、装幀を凝らした小説の頁を繙（ひもと）いて味わった愛の場面のほうがよりふさわしかろう。ジャン・ジュネの『泥棒日記』や『薔薇の奇蹟』の男たちの悪の張り付いたエロスがここには似合う気がする。紙の世は「神の世」を匂わせてもいいようから、ポリフォニックに幻想の重低音が響く。中七の「かの夜」には、かの世がかかり、うつくしく華やかな宴は現実にはすべて死に絶えたことを物語っていよう。掲句は小説への、また、紙の上の虚構の祝祭へのオマージュなのである。想像力に時空の境界はない。どんな時代でも、想像力こそ最先端のグローバリズムであるから。

では次に、『鳥子』に先立つこと五年、荒川洋治が二十二歳で出した第一詩集『娼婦論』（一九七一年）をみてみたい。

隠喩の宝庫

荒川が二十代で出版した『娼婦論』『水駅』『荒川洋治詩集』の三詩集には、異国の地名が頻出する。ちなみに挙げれば、ソフィア、南バルカン、モルダビア、白ロシア共和国、寧夏回族自治区、内蒙古自治区、オルドス、ウイグル自治区、テンシャン北路、ホロン湖、ハルハ河岸……といったぐあい。

イタロ・カルヴィーノの幻想小説『見えない都市』（一九七二年）と同じように、荒川もグローバルな作品を同時期に詩集で編んでいたのだ。三十歳の作者は回想する。

…ひところは旅がきらいで、地図一枚で世界を語ろうとする不謹慎なところもあったしね。

（荒川洋治『アイ・キューの淵より』気争社、一九七九年）

その想像力はグローバリゼーションの到来を二十年も先取りしていた。『娼婦論』から一篇をあげる。

タシュケント昂情

石。石。石。この高原には石が咲きみだれている。どれも遺跡だ。絹の道へ歓喜して迷いこんだ彼らの幻影がこうしてうっすらと形を成した。そのすきまに正確に、ほぐれるような青い空が措かれている。あの石の白は傲岸の白だ。しっかりと歴史の誤謬をくいとめている。ここを通るひとびとはすべて遺跡の比喩となり、あらぬ方へ表現される。遺跡がほんとうなのか、それともひとびとがほんとうなのか、この答はここでいつも足ぶみし、にわかに問われることもない。でもあの青い空のいきいきとした澄み方はどうだ。遺跡を低く地理にまで落とし、たくましく不安を選びとっている。あの青はうつむきの海だ。するとみみもとで、黒衣の娼婦がささやく。

〈あの青い空も遺跡よ〉

わたしはでかかる冷たい汗をおさえ狂いなおす。（ききなれない言葉だ）わたしの風下にわたしの歌が薙（な）がれてもわたしは失せずにここに来た。ここにいる。すると娼婦はつづける。（黒衣は風に不定を垂らして）

〈あなたはどこからもきていない〉
汗は流される。栄えぬための涙が流される。はばむことは、憶えることだ。青と白の高原はあざやかに不遜を表白し、風はその吹路をきめて吹きかかる。娼婦は黒衣を風にすて妖しくよこたわる。わたしは火をおこす。このとき奇妙にひとり。

風は風を超え
ひとは類（たぐい）をのみほし

荒川洋治は戦後詩のなかでも「修辞に凝ったものの筆頭」とされ「修辞の詩人」と評されてきた。だが、このくくりにいくぶんでも「レトリックが内実を上回る」といった揶揄がこめられているとしたら、そこからは詩人の本質は何もみえてこないだろう。それは文学史のなかで、定家に加えられた批評をいやおうなく思い起こさせる。一つは芭蕉が其角の句を評して「かれは定家の卿なり。さしてもなき事を、ことごとしくいひつらね侍る」（『去来抄』）と腐（くさ）したこと。もう一つは小林秀雄が西行を称賛する一方で、定家を「詩人の傍で、美食家があゝでもないかうでもないと言つてゐる様に見える」（『無常といふ事』）とこきおろしたことである。定家の絶望と垂鉛の深みからつむがれた隠喩の花を「ことごとし」、「美食家」と一蹴したのは、彼らが隠喩の正体というものにその時点で思いを致すことができなかったためであろう。

『娼婦論』は隠喩の宝庫である。本篇も冒頭近く「石が咲きみだれる」というあざやかな措辞を皮切りに、詩人のゆたかな才能が刻まれた忘れがたい隠喩に逢着する。娼婦のふたつのことば「あの青い空も遺跡よ」「あなたはどこからもきていない」である。これはレトリックではとうてい置き得ない隠喩だ。麒麟児荒川が全体重の垂鉛でさぐりあてた詩の心臓である。それは修辞という表面の皮膜ではない。詩の最深部だ。荒川は「修辞の詩人」ではなく「隠喩の詩人」である。さらにいえば時を超える「興の詩人」である。その差は大きい。なぜなら、繰り返すが、鋭く深い隠喩というものは修辞ではけっして到達できないポエジーそのものだからである。

深遠な隠喩「興」

詩歌における隠喩は、いわば読み手にとっての踏み絵である。六世紀前半、梁の鍾嶸の『詩品』はいう。「詩に三義有り。一に興（※隠喩）と曰い、二に比（※直喩）と曰い、三に賦（※直叙）と曰う。文已に尽きて意余り有るは、興なり」（※は恩田注）。興を余情という詩の根幹にかかわるものと位置づけていることがわかる。『詩経』を踏襲した『古今和歌集』の真名序は「和歌に六義あり」「四に曰く興」と、隠喩を詩の六義の一つに挙げる。隠喩はことばの背後からこんこんと湧き出し、ことばをこえて読み手の胸にイメージをひろげ余情を生む。かぎりあることばによって、余白というかぎりないものを耕す。直喩や直叙とちがい、読み手の主体的な想像力が必要なので、現代人には難解と思われがちである。だが、詩人と読み手、双方向のこころの高鳴りはまさにここにある。『詩経』や『楚辞』にみられる「興」は、西洋文学におけるメタファーの意味するところよりも深遠である（グラネ『中国古代の祭礼と歌謡』）。それは共同体の呪詞や祈りに発して、個人の恋や批評精神とも渾然一体となった精神の奥行きであり、東洋の詩の源泉である。興は「小さな具象の属性から、大きな抽象的意味を摘出してくる」（「文心雕龍」）。詩や俳句の醍醐味はそこにあるのである。

これを近代の論理で吉田精一はこういう。

散文とちがい、詩の場合はたった一つことばが足りないだけで、あるいは不適当なだけですべてがさまたげられることがあり、きわめて小さい細部の効果に、作品全体と同程度の効果があることがある。

とくに大切な散文との分岐点は、散文のおもしろさは作品外にあって、テクストの消耗から生まれる。つまり、ことばが消えて、そこに描かれた意味だけが、はっきりと浮かんでくるのが上乗の散文である。それに対して、詩のおもしろさは、作品から分離もしなければ、作品から遠ざかることもできないのである。すなわち詩はその一字一句をはなれて、内容を語りうる、というものではありえないのである。

（『文学概論』吉田精一著作集第二四巻、桜楓社、一九八〇年）

定家を大げさ、美食家、と貶めた先の二人の評言が、意味に軸足をおく散文のものさしで測られたものであることがわかろう。

「タシュケント昂情」で娼婦がいった「あなたはどこからもきていない」は、「あなたはまだ生きていない」をほのめかしてはいないだろうか。荒川の誠実はそこにひそんでいよう。

虚構との付き合い方

ヒトは象徴を尊ぶ。象徴とは虚構である。ネット社会の出現より四百年も前に、「騎士道物語」という虚構に前のめりになった愛すべき人物がいた。ご存じのドン・キホーテである。小説『ドン・キホーテ』はバーチャルリアリティーとの付き合い方を現代人に教えてくれる点でも世界の古典である。いまもそれを超える小説は容易にみつからない。

現代はラ・マンチャの男ならずとも、万人がネット空間という虚構に四六時中浸かっている社会である。情報の洪水のなかでひとは目の前の浮き輪にしがみつく。フェイクニュースは拡大する。グローバル社会が本来志向すべき広汎な地球的視野の知の編集は等閑に付され、狭く手っ取り早いネット・ムラ社会の逸楽が取って代わるのである。失われたのは、立ち止まってじっくりと考えを掘り下げる一人ひとりの忍耐をともなう時間である。ことばには本来、意を言にするときの乗り越えるべき切れ、言を書きことばにするときの切れがある。純粋読者が少ない孤独な詩人と俳人は、切れの断絶を、余白の沈黙をもって越えようとする。

情報社会花盛りのなかで

攝津幸彦は都心の広告会社に勤めながら、会社と俳句とを峻別し、同人誌周辺で才能を惜しまれながら、二十一世紀をみることなく、四十九歳で夭折した。地下鉄サリン事件の翌年、ポケモンやドラゴンクエストなどのテレビゲームはミリオンセラーになり、情報化社会に驀進する時代だった。

またせうぞ午後の花降る陣地取　『鹿々集』

ここにはすでに遠からぬ死を感じとったものの声音（こわね）がある。輪廻して、再びこの世で子どもになって会えたら、そのときはまた陣地取りごっこをして遊ぼう。さくらの花びらがはらはらとひかりの尾を曳いて散る春の午後に。「陣地取」の裏には、一転して、国家の領土問題や、植民地戦争、侵略といったシビアな歴史が隠喩され批評されている。だが、攝津はほのかな笑いにすべてを包んで読み手にまかせるのである。

秋燈（あきともし）消して流るる馬を消す　『攝津幸彦全句集』

死の前年の作品。秋の夜長の就寝時、電灯を消す。すると、いっさいの電子機器の映像も消える。

まるですべての現象が消え去るように。「消し」「消す」と重ねられた虚無に、画像の馬とともに、必ずこの世から消え去ってゆくわたしたちが重なる。無明長夜だけが残されるのである。ここには、バーチャルリアリティーに浸かった日常をいつくしむ作者がいる。都会を漂流してまぼろしのように消えてゆかざるを得ない現代人のさびしさが、やさしい手ざわりにつかまれている。

落ちこぼれつつ鼓動する

荒川洋治は、若くして達成したことばの才気を、中期の詩集群ではことさらやつし、やわらかな諧謔に包んだ。詩集『北山十八間戸』は、ことばのつや消しにはげんだ歳月のはてに、うちがわからぼおおっと火がともるような六十代の作である。表題となった一篇を掲げよう。

北山十八間戸

エンジンについて。

表現の組成要素について。

中学の教師「きみは、ことばの選び方があやしいね。」

「はーい」

高校の教師「きみは、判断もおかしいね」
「はーい」「はーい」なぜ二人もいるのだろうか

いなかの　あるいは町はずれの
舗装された道路
ガードレールがつき　ただの田畑が見え
誰の写真のなかへも入らない　選ばれない
事実にもいれにくい
背景ともなれない
そんな変哲のない一角は
住宅街にもあり
テンナンショウ属のイモも実らず
わずかな感興も魅力もない
そのような一角は表現に値するのか
カウントされるのか
連れて帰る「縄」はあるのか
そんなとき

エンジンが鳴りひびく

鎌倉期の僧、十八間戸を建てた忍性は
僧衣のまま　用事もないのに橋の上にいて
帰宅しない
奈良・川上町の木造は
白い十八の部屋に、ひとりずつ入れる
暮れはじめた　とても重い人たちだけが
よろこびのまま直列する
仏間には
霧雨のように風が吹きつけ
エンジンは位置につく
不屈の位置につく

「大和古寺風物誌」になし
「古寺発掘」「古寺巡礼」になし
「日本の橋」になし　池田小菊「奈良」になし

バス停の角の小さな商店に声をかけ
そこで鍵を借り
テンナンショウ属のない路を
随意みたされた気持ちで
歩いていくと
奈良坂に胸をつく白壁、十八間戸があらわれ
すべての明かりが消える昼さがり
「忍性はでかけています。
いつもの橋の上です。
いなかから人が出てきたから。
でも橋の上では、ひとりです。」
の立て札が夢の土に浮かび
奈良坂の四つ角には
四つ角ごとに人が立つのに
他人の香りはない
人はそこにいるのに風景は

気づいてくれないのだ
忍性は腰をかがめて　こぼれた稲をひろい
帰宅から遠い道を選んだことを思う

小枝の落ちた敵地は
濁るばかりだ
話にならない一角
魅力も特徴も性格もない一角で　位置につく
みども、みどもの子供は
どこまで小舟のようにゆれていられるだろう
どこにでも小さな商店のある日本
テンナンショウ属のない道
中世の救済院の隣家の明かりが
道を照らし
「なぜ二人もいるのだろうか」
夜空の枝は
空の外側にも　よく群れて甘くひろがり

直列していく

現代詩の門外漢だが素人にわからない詩はないと思い、解釈する。（※以下の数字は詩の聯をあらわす）

1 冒頭二行で「エンジン」と「表現の組成要素」という、ちぐはぐでおかしなもんだいが提起される。

2 夢のなかのような中学と高校の教室で返事をする「ことばの選び方」と「判断」のあやしい生徒はどうも作者らしい。「なぜ二人もいるのだろうか」に、詩人が不断にしているにちがいない自己内対話と、そこにしか生まれようがないずぶずぶした詩のことばの肌合いが暗示される。

3 「いなかの」だれにも「選ばれない」「変哲のない一角」があえて選ばれる。「テンナンショウ属のイモも実らず」は、異形の妖しさもエロティシズムのかけらもない散文的な場所なのだ。どんな「表現」もされずに黙殺され、ただ時に流されてゆく現代の日本のかたすみで「エンジンが鳴りひびく」。グローバリズムの時代に抗してローカリズムがいわれるが、すでにローカルな魅力さえ奪われた空間である。

4 詩人のこころは八百年の時を超え、「十八間戸を建てた忍性」に会いにゆく。「とても重い」ハンセン病患者はいつかのわたしかもしれない。どんな文学者も目をとめなかった生と死の波打ち際の救済院。忘れ去られた橋の上にいる「忍性」とはいったい誰だろう。鎌倉期の名僧叡尊の弟子で、慈善活動をした律僧という知識がなくても、いや、いっそないほうが面白い。人称、認証、性を忍ぶ、掛詞の中心に「ひとりで」「帰宅から遠い道を選んだ」人がしょんぼりと待っているのだ。作者は忍性に〝恋〟している。エンジンは、傷み疲れた他者のいのちをおもう想像力かもしれない。

5「小枝の落ちた敵地は／濁るばかりだ」は、井戸端会議の域を出ないがゆえに、とめどなく垂れ流される似非詩を想像させる。小枝の蹴ちらされた濁世は同時に、絶え間なく指の間をこぼれて濁り川になるいとしい時の流れでもあろう。「みども、みどもの子供は」と、どもらずにはいられない。その子は、「はーい」と元気よく手を上げた少年の作者か、救済院の子か、もしかしたらやがてもう一人の忍性となる子か。こころのなかのこころか。なりかわる可能性にゆらぐ子どもが舟に乗っている。だから「二人」。鎌倉も二十一世紀も同じ空につどう。別々の場所も時間も、流れ、たゆたい、さかのぼって合流し合う。散文を読んでゆくときのような均等の早さでは荒川の詩は読めない。橋の上に待つ忍性のかたわらで夕かげをぼおっと浴びていたくなる。「テンナンショウ属のない」「奈良坂」はあの「タシュケントの遺跡」とおなじく迷宮になる。なんの変哲もない土地に堆積した時の落葉の踏み心地。ことばの奥にゆらぐのは何の花の匂いだろうか。

しかし、これはあくまでも一つの読みにすぎない。隠喩には比喩や直叙とちがって決められた解はない。一人ひとりのいのちの器に注がれて、その都度そのひとの体験とともに、固有の足元から新たな息吹としてよみがえる。

「見附のみどりに」「美代子、石を投げなさい」の清新な批判精神（クリティシズム）は成熟を遂げ、もはや言語阿頼耶識（あらやしき）の渾沌になって発光している。詩人のほほえみは無垢へと磨かれてゆくのである。

隠喩から換喩へ横滑りする時代

かつて情報の取得が知的優越を意味していたころ、批評は内面と他者のいる外部をつなぐ力を持っていた。批評には過去にまなび、未来をさぐる回転軸の役割があり、回転のダイナミズムがあった。ところがグローバル・情報社会はパラドキシカルな逆転現象を起こした。あふれかえる情報は意味記号の羅列になりさがった。そのなかにもはや、ひとはいないのである。即時性と実況性のみにことばの価値をおくネット社会は、刹那的に炎上するが、地道に積み上げる異論と批判を排除する。それによってのっぺらぼうに均質化してゆくのである。このとき「批評」は仲間内の褒め合いに転落する。英語の critical もフランス語の critique も批評と危機的なという意味が紙の表裏をなしている。均質であることを心地よさと感ずる退嬰的社会に、批評は機能しない。こうして日本社会はことばの「皮膜」に覆いつくされ、息が自由にできなくなってゆく。隠喩の深みから換喩へ、垂鉛から皮膜へ、とめどなく詩も俳句も横滑りする時代がとっくに始まっていたのである。

柄谷行人の「内面の発見」が思い起こされる。

日本の近代文学は、国木田独歩においてはじめて書くことの自在さを獲得したといえる。この自在さは、「内面」や「自己表現」というものの自明性と連関している。……内面が内面として存在するということは、自分自身の声をきくという現前性が確立するということである。

（『日本近代文学の起源』講談社、一九八〇年）

あるいは荒川洋治の詩業はこの「自分自身の声をきくという現前性」への絶えざるアンチテーゼとして試みられて来たのではあるまいか。自己のなかに批評の回転軸を携えて。

有限の錐

詩歌は散文とちがって、意味の伝達性を第一義としていない。ぬきさしならぬことばの質感と官能性によって、詩は記された言語をつねに遡源しようとする。全人的な「垂鉛」の深みからゆらぎ出ることばは、意味以前の共通の地下水脈で万人につながろうとする。

定家や荒川や攝津に貼られてきた「修辞の詩人」というレッテルを返上しよう。日本語じしんのぬきさしならぬ肌合い、ことばとことばのあいだにやどるエロス。声なきものの声に共鳴する感性。内部と外部をブレイクスルーする批評。そうした大いなるものを負う隠喩は、柔軟に現実を照らし、もうひとつのふくよかな時空を創る。それが「興の詩人」の栄誉である。

離人症と幻視にとりつかれた草間彌生の芸術も、非現実と現実のはざまを生きる無我夢中の感覚の彷徨が、いままで誰も見たことがない「隠喩」を生み続けたのであった。

ことばと現実が肉離れした時代にあって、垂鉛からもどってくるはるかな道のりにしか詩歌の往還は実現しない。グローバル・情報社会というまことしやかにしてイミテーションの「永遠の生」があふれるなかで、死と隣りあう有限の生の深みをさぐる。功利主義にかえりみられることのない深さこそ遼遠である。

参考文献

荒川洋治「消し忘れよりはじまる」『アイ・キューの淵より』気争社、一九七九年
「去来抄」井本農一ほか校注・訳『芭蕉文集　去来抄』完訳日本の古典五五、小学館、一九八五年
小林秀雄「西行」『無常といふ事』小林秀雄集、日本文学全集四二、筑摩書房、一九七〇年
グラネ『中国古代の祭礼と歌謡』（仏語原著一九一九年刊）東洋文庫・平凡社、一九八九年
西郷信綱『増補　詩の発生――文学における原始・古代の意味』未来社、一九六四年
白川静『詩経　中国の古代歌謡』中公文庫、二〇〇二年
赤塚忠著作集第五巻『詩経研究』研文社、一九八六年
赤塚忠著作集第六巻『楚辞研究』研文社、一九八六年
興膳宏『合璧　詩品　書品』研文出版、二〇一一年
興膳宏『新版　中国の文学理論』清文堂出版、二〇〇八年
家井眞『『詩経』の原義的研究』研文出版、二〇〇四年
田中和夫『毛詩正義研究』白帝社、二〇〇三年
加納喜光『詩経・I　恋愛詩と動植物のシンボリズム』汲古書院、二〇〇六年
小南一郎『楚辞とその注釈者たち』明友書店、二〇〇三年
中島隆博『残響の中国哲学――言語と政治』東京大学出版会、二〇〇七年
恩田侑布子『渾沌の恋人――北斎の波、芭蕉の興』春秋社、二〇二二年

「文心雕龍」興膳宏訳『陶淵明　文心雕龍』筑摩書房、一九六八年
攝津幸彦『鹿々集』第七句集、ふらんす堂、一九九六年
『攝津幸彦全句集』沖積社、一九九七年

みなもとの子へ　荒川洋治『北山十八間戸』

コミュニケーションと孤独

東京都写真美術館でやっている「世界報道写真展２０１７」の地階からふらふらして出てきた。ドキュメンタリー写真が炙り出した世界の現状が持つ威厳に打ちのめされ、とにかくこころを鎮めたかった。同じビルの三階では「コミュニケーションと孤独」展が開催中という。タイトルに吸い寄せられ、足を踏み入れてみた。証明写真をやたらと大きく伸ばした顔、顔、顔に迎えられる。男女三人のそれぞれ数年ごと、十余年にわたる経年変化を大パネルに引き伸ばしている。どれものっぺりと無表情だ。

入り口に掛けられた解説パネルに戻る。本展は「平成のコミュニケーション」をテーマとし、三万余りの収蔵品から平成の作品を厳選したものという。

まず、やなぎみわの「マイ・グランドマザーズ」に目が引き寄せられた。若い女性が自分の五十年後を思い描き、未来の自分に憑依したシリーズ写真である。

一点は、第三次世界大戦後と思われる異様な静謐空間に老婆が一人腰掛けていた。鎧のようなぶあつい皺に、かろうじて生き残った少数人類の感情の乏しさがすけてみえる。巨大なコンクリート建造物のV字の橋梁越しに緑まじりの湿原がみはるかされる。雲間から射す朝日は逆に空間の無機質感をつよめている。一幕の劇仕立ての写真である。次いで、石内都、森村泰昌、屋代敏博の写真作品の前を通った。

どの写真にも何かが欠落している。地階の報道写真に刻まれた世界の無慚な叫びはどこにもなかった。だが、この鳥肌の立つ寒さはなんなのだろう。会場には撮影者と被写体が織りなすはずの、この「いま」を感じさせるぬくもりがどこにもなかった。すっぽりと現在が抜け落ちているのだ。そうか。コミュニケーションのないところには、はなから孤独さえ、存在しないのだ。現代は「現在」を表現できない時代なのだ。

無垢の感情と地平

こうした平成の末期に荒川洋治の詩集『北山十八間戸』は登場した。

大量虐殺と原爆の前世紀から人類は何一つ学び得なかったかのように、今世紀も憎悪と殺戮の嵐のなかである。日本も戦争に向かって着々と準備をすすめている。三・一一では無辜のものが何のこころの用意もなく津波に呑まれ、放射能に追われて、いまだに多くの人が「実家」を奪われている日本。十万年先まで核のゴミを未来の子どもたちに押し付ける日本。すべてを怺えて『北山十八間戸』は顕れた。

それは、やわらかな地平を抱えこんだ詩集である。読むほどに謎めいた雪洞（ぼんぼり）のうちへうちへと誘われてゆく。荒川の詩の大地は積年の落葉が堆積する森を朧夜の雲が踏んでゆくよう。この世に傷んで、誰にも振り返られない生にみちる。それは告発の高い声をもたない。作者自身がぬかるみを引き受けることで生まれた、丸ごとの「をこ」と「あはれ」のつぶやきの詩である。

詩集タイトルとなった「北山十八間戸」は近現代詩史におけるしずかな事件であろう。「赤江川原」は読後がこわい。これから好きな川原を歩くたびに幻影の髪がちらめきそうだ。「東京から白い船が出ていく」は現在である。純情と傍観と虐待と増上慢の感情が絵巻のようにあらわれ、四聯目の村の子ども三人が木に腰かける描写はどんな現代美術さえ凌駕しそうだ。わたしたちは詩の行間において、無垢のこどもの感情と、素肌を接するのである。

「興」としての隠喩

巻末から三番目に置かれた「通路にて」の冒頭をみてみよう。

年始には
一五歳にして
窓を見ながら社員にあいさつもした

心の空白を生み
あるときから
湯舟に入る
まずは軽少なランドセルでためし
通路の湯舟に
全身をもみ消し

通路は過ぎゆく時間によって成りたつわたしたちの一生だろう。一度限りの生に過去のあらゆる生がよりそい、ふふっと忍び笑いをもらして溶けこむ。二行目の元服は次行では新入社員になり、しのび足の子のランドセルになる。小学生の入る湯舟はやがて棺桶の気配をおび出す。

腐りゆくものへの扉を
子供の色でみたすだけのことだ
釘のような通路に
湯気が溶け
途端に髪は甘くなり
白くなる

なんと無惨で甘美な隠喩であることか。すでに先の節で、詩の六義の一つである「興」の詩人として荒川を評したが、『詩経』や『楚辞』に淵源するゆたかな「興」という隠喩の表現法は、東アジア稲作民族の呪の詞と批評精神をみなもととし、読み手の胸に汲めども尽きない幻像をもたらすのである（拙著『渾沌の恋人(ラマン)』春秋社、二〇二二年）。

すやり霞の涌く身空

詩を「人間のコミュニケーションの手段のもっともデリケートな部分」とした辻井喬の慧眼は、荒川の新しさを時間表現に見出していた。

時間が、過去から未来に向かってひとつの直線のように流れていると思っている人にとっては、荒川洋治の作品がきわめて難解になるのは当然です。今の「時間」は、垂直にも斜めにも、あるいは渦を巻いたりしながら進んでいるといえます。

（辻井喬『詩が生まれるとき』講談社、一九九四年）

辻井に共感し付け加えたいのは、直線でもリニアでもない荒川の「時間」は、じつは日本文化の古くからの伝統でもあり、親しみ深い感触(タッチ)としてさまざまな表現形態を彩ってきたことである。どこに。古くは仏教美術に。平安末以降は絵巻や屏風絵に。たとえば国宝『伴大納言絵詞』の、檜皮葺の屋根を舐め、にゅるうっと欄干へ伸びる牛の舌のようなすやり霞を思い起こされたい。それらを美術史家たちはたんなる場面転換として片付けてきたが、そんなうすべったいものではなかった。精神性を帯びた雲の表現は、さかのぼれば法隆寺の釈迦三尊像の光背、七仏が乗る瑞雲に始まり、紫雲、来迎雲へ、また、絵巻のすやり霞から狩野永徳の屏風の金雲へ、洛中洛外図では犬や子どもに踏んづけられもして、葛飾北斎の浮世絵の雲霞へと至るのである（『渾沌の恋人』）。

霞と霧の風土の国ならではの、美術史上の雲の変遷は、とうぜん文学に表れた精神とも渾然とつながっている。『北山十八間戸』の絵巻を思わせる十六篇にも、ぬわあんとした肌ざわりのすやり霞があちこちに棚引いている。それは異質なものどうしが何気なく隣り合わせたり、身をかわすようにすうっと別の時空に行ってしまったりする感触をわたしたちの肌に呼び覚ます。異界と心身をへだてるもののない時間と空間の乗換に、あらゆるものがぼおおっとつどう。俳句も五七五のなかでするっと時空がいれかわることがあるとはいえ、荒川の変幻する感触には、いっそう温かな地熱が感じられる。詩を「情象」とみた萩原朔太郎は「感情に温熱され、心情にとけて言語自らが感情の意味を語るものこそ本物の詩だ」といった（『詩の原理』新潮文庫、一九五四年）。荒川洋治という稀有の詩人にあっては、現実に対する厳しい批評が、そのまま読者に時間を忘れさせる夢の土の踏み心地になるのである。

はるか年上の
長者の肩をゆする
わたしは子供でした
一人鳥追いで
餅はたいせつでした
早すぎる声とは
なんと可愛いものなのだろうかな
まだ冷たくなるまえに
親兄弟を
呼ぶ声は

読むたびにことばの鮮度に胸を衝かれる。長者の肩をゆする中世の鳥追いの子どもはしろたえの餅を手渡しに、わたしや兄弟の幼年となり、現在の隣の家の子どもに変容する。そればかりではない。輿の詩人は「まだ冷たくなるまえに」と呪をとなえる。そこにすでに冷たくなって声を出すことのかなわない累代のみ祖(おや)たち、地球上に生まれて過ぎていった数限りない死者たちの声が重奏される。掉尾に置かれた無垢の幼な子の「呼ぶ声」は本篇ばかりか、詩集のそこここに青く水こだましてやまないのである。

III　やつしの美　久保田万太郎の俳句

心に聴くなつかしみ

「恩田さんの家がスタジオになります」

「そんなあ、うちは古くって隙間だらけ、音響サイアクです」

「心配いりません。さっそく資材をお送りしますよ」

配送された箱を開けるとメタリックなかががやきがあふれた。メカ弱人間はマイク一本立ち上げるにもひと苦労だ。電話の誘導でやっとこさ、左右のマイクと青と白の集音器、合計四台を机のパソコンにつなぎ終えた。ため息しかない。いつも机の窓にやってくるお客さんといえば、猪、羚羊、蝶。泥んこや、やわらかい葉や花を愛する自然の友だちばかりなのだから。

秋（二〇二一年）に出した岩波文庫の編著『久保田万太郎俳句集』が幸いにも版を重ね、正月早々、耳で聴くAmazonオーディブルにする話が始まった。あなたまかせの楽しみと思いきや、三十頁に及ぶ解説をみずから朗読せよという。山中の古家がにわかに都心の出張スタジオになった。初代慶応ボーイに入れ込んだ野暮天の解説である。つい感情がこみ上げる。とはいえ、なんとか一日で収録を完了した。

追って、肝腎の声優さんによる本文の俳句を朗読した音源データが送られてきた。

ばか、はしら、かき、はまぐりや春の雪

ふふっとふくみ笑いをもらして、貝の弾みのある甘い肌が淡雪にはかなげに透きとおってゆく。そんな朗読を期待していた。それがなんと、雪をけ散らす軍靴のよう。堂々と勇ましい朗誦であった。

声優の原田晃さんは数名の実演見本から指名させていただいた。「洋画や海外ドラマ、アニメで何度も拝聴しているわ」。その方面にくわしい友人も憧れ口調だ。万太郎句の豊富な語彙と微妙なリズムの朗読は誰にとっても至難である。それに売れっ子の声優さんに再演のお願いは失礼。どうしよう。でも、なつかしくやさしい万太郎を一人でも多くの聴者に末長く楽しんでいただけたらどんなにうれしいことか。その日から信じられないことが起こった。一句一句をド素人のわたしが見本朗読し、本格声優の美声が倣う再録が始まったのである。原田さんは打てば響く。夏から秋へ、秋から冬へ、九百二句を何日も何日もかけてやっと録(と)り了えた。気づけば、クリスマスイヴになっていた。オーディブルの話が持ち上がってから、まるく一年。俳句朗読の名声優があらわれていた。

（以降の俳句下の番号は恩田侑布子編『久保田万太郎俳句集』岩波文庫に準じる）

手毬唄哀しかなしきゆゑに世に　六十一歳作　『流寓抄』　五五

香水の香(か)のそこはかとなき嘆き　六十二歳作　〃　五六

悔ありや　なし矣(や)　扇を捨てにけり　六十九歳作　『流寓抄以後』　七九一

作者の肉体の奥から涌いてくるリズムは、五七五の定型感覚を土台としつつ、音楽のあえかな変奏に富んでいる。

いづれのおほんときにや日永かな　六十一歳作　『流寓抄』　五三

王朝のおおどかな息そのものが俳句になっている。視覚と聴覚、ともにうっとりさせられる。万太郎はただのお婆さん子ではない。幼少期は両親とではなく、離れ家で祖父母に育てられた。東京中にかかる芝居をみてまわるお婆さんに連れられて、耳にひびく話しことばの酸いもあまいも幼心に嚙み分けたのである。そうして人情の委曲を知ったお婆さんに、いっさいがっさいを宥(ゆる)されたのである。

よみがえる日がわたしにもある。病弱な母は入退院をしょっちゅう繰り返していた。甘えん坊は付き添いベッドからよく学校に通ったものだ。下校すると病廊の日だまりに、お婆さんが車椅子のひとをしずかに看護(みまも)りながら佇んでいた。お爺さんは身動きのできなくなる病気で、家にはもう二度と帰れないのだという。

「いいお天気じゃありませんか」

花のような声が降った。ふくよかな明るい声はこの世のものとは思えなかった。わたしはそのとき、冬日向に迦陵頻伽(かりょうびんが)の羽が白くひらめくのをみた。この世の極楽は地獄のそばにあるのだった。

万太郎の俳句はいくら口遊(くちずさ)んでも飽きることがない。どうしてなのかずっとふしぎに思ってきた。川で遊ぶのが好きなわたしはやっと腹落ちした。その俳句はすべてをうべなう清らかな水音をたてていたのだった。

ふだん着のミニマル・アート

日本語の匠(たくみ)

万太郎の本質は詩人である。小説、戯曲、随筆のどれをとっても昼の太陽のような燦々とした作品ではない。俳句も、ふりみふらずみの雨、しぐれのすぎたばかりの空を思わせる。そこはかとないさびしさ、そこはかとないあかるみの、微妙な陰翳を身上(しんじょう)とする作家なのである。

久保田万太郎は明治二十二（一八八九）年十一月七日、東京市浅草区田原町に生まれ、長男として育てられた。父も祖父も鹿のなめし革で煙草入れをつくる職人の親方で、階下には十五、六人の職人さんが寝起きしていた。製造だけでなく「久保勘」の名で知られたあきんどでもあった。おしゃれな江戸っ子といえば腰に煙管(きせる)と煙草入れを提げていたものだ。それは裏張りにも濃やかな意匠をこらした、いまでいう伝統工芸品である。万太郎の俳句には、江戸の匠(たくみ)の菖蒲革(しょうぶがわ)をことばに代えたような、やわらかな風合いとおもむきがある。職人気質(かたぎ)の精緻な俳句だからこそ、ふと口遊(くちずさ)みたくなるのであろう。

万太郎は八冊上梓した句集を、最終的には六十三歳での『草の丈』と、古稀目前での『流寓抄』という、わずか二句集に精選した。中学時代から五十年余もつくり続けた作品を「げんみつな篩にかけ」、初案から何度も推敲して句集に治定していった。そのきびしさは、明治生まれの文士の名に恥じぬものがある。死の半年後に、弟子の安住敦が編纂した『流寓抄以後』を合わせた俳句の全貌は『久保田万太郎全句集』（中央公論社、一九七一年）にみることができ、そこから、やまとことばの色、つや、テリ、匂いにかけて無双の九百二句を精選したのが『久保田万太郎俳句集』（恩田侑布子編、岩波文庫、二〇二一年）である。

『草の丈』八百一句は、年代順に整理され、それぞれ住んだ土地土地の名前で括られている。まずは、「浅草のころ」から二句をみてみよう。

新參の身にあかあかと灯りけり　　三十三歳作『草の丈』一

春四月の季語「新參」は「出代」の傍題で、徒弟制度の消滅とともに死語になった。が、その情は「新規契約社員」と何ら変わることがない。親方の家で初めてむかえた丁稚小僧の日暮れである。実家を離れ、永い日がようやく傾き、店に灯がともった瞬間であろう。実家のランプにはない眩しさに、すりへった袖口があかあかと照らし出される。夕闇のむこうからは、おっかさんが薪で竈を焚く匂いが漂ってきそうだ。「あかあかと」の措辞に少年のいたたまれない恥じらいとうぶなときめきがこもる。丁稚を迎える側の作者が、新米小僧さんの貧しい身になりかわっている。そのあたたかなまなざしがやわらかな声調となって句を裡（うち）がわから灯している。

竹馬やいろはにほへとちりぐに　　三十六歳作『草の丈』　二八

いうまでもない万太郎一代の名句である。イメージの泉をこんこんと涌き立たせることばの魔法をもっている。それは古人（いにしえびと）の愛した「襲（かさね）」のよう。一枚目は竹馬の子らが散らばって遊ぶさま。二枚目は冬の夕暮れに三々五々家へ帰りゆくさま。三枚目はその後の人生行路にゆくえ知れずになった竹馬の友への思慕。四枚目は「色はにほへど散りぬるを」の「いろはうた」の無常観である。視覚的にも漢字で書かれた「竹馬」のみに物象感があり、あとのひらがな十二音からは、なつかしく淡々（あわあわ）とした夢幻感が立ちのぼるのである。

ほかにも江戸情緒の匂う下町の風情を捉えた秀句は〈夏足袋やいのち拾ひしたいこもち〉〈金魚の荷嵐の中に下ろしけり〉〈双六の賽に雪の氣かよひけり〉〈雨車軸をながすが如く切子かな〉など、枚挙に暇（いとま）がない。なかでも掲句はうちよせる時代の波に消えていったくさぐさを読み手の胸にかきたててやまない。両手に握る青竹は、かえらぬむかしを恋う清らかな思いにつやめく。ときのうつろいを表現した神品といえよう。

ばばア育ちの文学的早熟

ここで改めて万太郎の幼少期と、その文学へのめざめを振り返っておこう。万太郎はお婆さん子だった。「三百安い〝ばばア育ち〟」と、随筆でいくたびも謙遜しているが、祖母がいなければその文学は開花しなかった。幼い頃から祖母の腰巾着として芝居見物に明け暮れた日々がどれほど文学の滋養になったか知れない。家業を継がせようと進学に猛反対する父を説き伏せ、慶應義塾大学に進ませてくれたのもお婆さんであった。

おのずから詩歌や小説の耽読に拍車がかかる。府立第三中学校（現、都立両国高等学校）では休み時間に友人が相撲に興じている間も「運動場の塀の隅によッかかつて小説を読んでゐ」たという。俳句との出会いについては本人の弁に耳を澄ませたい。

……わたしが「俳句」といふものをつくり覚えたそもく は中学三年のときである。（中略）三田俳句会に出席した。（中略）「運座」の澄明な空気を感得すると同時に、真実な、つゝましい、しみぐ した俳句の生命感に触れることが出来た。（中略）（恩田注――松濱の）巧緻をつくした、戯曲的な、小説的な人事句についてまなぶところが多かつた。（中略）松濱は東京を去った。（中略）わたしはかれの手から東洋城の手にうつされた。（中略）かれはわたしの句の都会的な繊細さをことのほか喜んだ。

（中略）「ホト、ギス」の文学、写生文及びそれに派生するいろく の作品。――いふところの低徊趣味の文学につねにわたしは飽き足りなかつた。（中略）――すなはちわたしは俳句を捨てた。――ひたすら、小説を書き、戯曲を書いた……

――「俳句」はいつか、わたしの公然晴れての「余技」になつた。

（中略）いかにそれがわたしの信ずる唯美主義の文学に遠からうと、（中略）俳句はどこまでも俳句だつた。――即興的な抒情詩、家常生活に根ざした抒情的な即興詩。

（『道芝』跋、一九二七年）

この三十七歳での回想はことのほか重要だ。ちなみに万太郎のトレードマークともいうべき「俳句余技説」は、四十六歳からは「心境小説の素」に変わっていった。

万太郎は文学的に際立って早熟だった。明治四十四年、『三田文学』に満二十一歳で発表した処女小説「朝顔」が朝日新聞紙上で小宮豊隆の激賞を浴び、一朝にして檜舞台に立たされた。ところがそれがアダになり、慶應を卒業した二十四歳から「暗黒時代」に突入する。私生活でも生家が没落し浅草田原町の家を手放した冬に、妹はるが死に、次いで二十七歳二月、恋愛に失敗。八か月後は最愛の祖母に死なれた。翌年隣家の出火で類焼。北三筋町に転居。三十三歳で関東大震災に遭い、三たび丸焼け。牛込区南榎町に仮寓……と、まさに有為転変の煉獄であった。

こうした青春の波乱の体験は、俳句を従来の型や土俵のなかでつくる狭量さから作者を自由にしていったものと思われる。小説・劇作という散文と、俳句という韻文の間に、区別はあっても、溝はなかった。たとえば説明的として俳人が嫌う前書付きの句をみてみよう。

ある人の來りていひけるは
苦の娑婆の蟲なきみちてゐたりけり　　三十七〜四十二歳作『草の丈』　亖

前書は俳句の注釈、という従来の概念を一変させる句である。両者は一体化し、一つの芸術作品になっている。秋の季語の「蟲」は三角形の頂点にあり、ある人と作者は三角形のもう二つの角に位置する。そう、銀の三角はトライアングル構造をなして冷ややかに韻きかわす。もしも前書がなければ「苦の娑婆の虫が悲しく鳴きしきっているよ」と、詠嘆だけがのっぺりと投げ出されてしまったことだろう。前書と俳句に橋が架かることで、ある人の体験した世間を三次元で感じさせ、作者と読者を共振させてゆく。完成された一幕の劇をみるようである。

流寓のひと

万太郎は俳句、小説、戯曲、随筆、舞台演出、映画脚本と、文学の各ジャンルで成功を収め、文壇のボスとも、がんこおやじとも称された。が、その女運のワルさは語り草である。

三人の〝妻〟はいずれも花柳界の女性だった。初婚相手の京は、万太郎の乱脈な女性関係に精神を病み、十四歳の耕一を遺して服薬自殺を遂げる。寡夫時代も色を好み、五十七歳で、友人の今日出海によれば「ブレーキの壊れた自動車みたいな」二十四、五も若い三田きみと、突発的に再婚を決めてしまう。「大柄のがらがら女性で（中略）細かい神経の俳人に向くだろうか」との心配は的中した。喧嘩に明け暮れ〈うとましや声高妻も梅雨寒も〉となり、六十七歳にして、かつての吉原の名妓、三隅一子の赤坂の家にころがりこむのである。

連翹やかくれ住むとにあらねども　　六十七歳作『流寓抄』　六九六

人めなき露地に住ひて秋の暮　　六十七歳作　〃　七〇四

たよるとはたよらるゝとは芒かな　　六十七歳作　〃　七〇五

老いらくの恋の名句である。連歌師、心敬の『ささめごと』ではないが、枯野のすすきほどひえさびて艶なるものはない。

しかし、女から尽くされる、人生で初めて味わった幸せは長続きしなかった。一子は急死する。通夜の終わりがけ精進落としの宴席に顔を出した万太郎は、「なんで俺の方が先に死ななかったんだろう。明日の朝起きて、あたしアどうしたらいいんです?」と卓にうつぶして泣いたという。

終戦の年に三田綱町の新居に移ったものの、たった二か月で空襲により焼け出され、鎌倉材木座に移り住んだ終戦直後の五十五歳から古稀に至る十五年間の句集、『流寓抄』のタイトルは、作者自身を象徴している。文壇・演劇界のボスといわれ、五十七歳で日本芸術院会員、六十七歳で文化勲章と文運を極めながら、私生活では全焼三回に接収二回と、五回も寒空に投げ出され、生涯の転居はなんと十五回。持ち家がありながら、終の棲家は借家であった。住まいばかりか、恋も女も職業も役職も栄誉も、このひとにあっては生涯が漂泊、流寓であった。

ミニマリズムのけしき

名句の数で芭蕉や蛇笏に並ぶ万太郎の魅力の一つに、極限までなされた省略がある。それは情緒や人情を置き去りに、途方もないところまですっこ抜けてゆく。

枯野はも縁の下までつゞきをり　　四十七〜四十九歳作『草の丈』一三六

なんともミニマル（最小限）な光景である。ここには枯野と縁の下しかない。その縁の下も礎や柱などの構造物はいっさい払拭されている。まるで幽霊のような縁の下だ。前書からも芭蕉の〈旅に病で〉を本歌としていることがわかる。死の床でも枯野をかけ廻る芭蕉の妄執に、万太郎は身を退き、身を躱す。生来の照れ性なのだ。と、同時に、わざわざかけ廻らなくても、すでにわが寝床の下まで枯野は入り込んでいるよと、モソッとつぶやくのである。

名月のたかぐふけてしまひけり

五十二歳作　『草の丈』　一九三

口調が簡明であるぶん、どこか空恐ろしい。雲も梢も軒も屋根も、取り合わせはなにもない。「名月」の一句一章である。一輪の満月が中天に耿々（こうこう）と高く、深更になってしまった。それと気づかせないが、無垢の目がはたらき、あちら側へまたしてもすっこ抜けてゆく。これは古風をよそおった表現の冒険である。満月は紺青の高みに小さく硬質になる。あたかも果たせずに終わった恋のひかりのように。万太郎の俳句はミニマル・アート・ジャパンのひそかな極北なのだ。

短夜のあけゆく水の匂かな

五十六歳作　『流寓抄』　三五三

〈竹馬や〉に並ぶ一代の名句といえよう。「短夜」の季語を作者は愛好した。この世のいとなみはすべて明け易いもの、という諦念があったのだろう。「水の匂」は、「短夜のあけゆく」という動詞によって、払暁のひかりにまぼろしのようにただよう。汚れた瓦屋根のかげのしののめの水は、景色というより、うぶうぶとほのかなけはい。ミニマル・アート・ジャパンの風合いなのである。

水にまだあをぞらのこるしぐれかな

六十四歳作　『流寓抄』　五八七

東京が地方出身者の植民地となる前の、なつかしい浅草田原町のしぐれである。仲見世に絵草紙屋がいくつもあった「紺の香の褪めた暖簾のかげ」から覗いたしぐれ。隅田川の波間につかの間、江戸の縹(はなだ)色はたゆたう。

小島政二郎は『俳句の天才——久保田万太郎』(彌生書房、一九八〇年)で、「俳句で彼ほどふだん着になれた人はいまい」と評した。うなずけよう。小説や戯曲では編集者泣かせで有名な遅筆に苦しんだひとが、俳句ではちっとも身構えなかった。着流しに兵児(へこ)帯の自然体でいられたのである。

万太郎は季物そのものを句の中心に据えようとはしない。蛇笏のように季語とがっぷり四つにはならない。江戸っ子のいきの構造に生まれるくつろいだいいなし、いいなしとやわらかみが身上である。

けはいの文学

絖（ぬめ）のひかり

しずかなほとんどきこえないようなあしおとがする。畳をふむ万太郎の足袋のけはい。

鶯に人は落ちめが大事かな　　五十六歳作　『流寓抄』　三四五

若いころから惹かれてきた句だ。品がいい、面白い、と思いながらほんとうはいま一つわかっていなかった。ただふっくらとした鶯のやわらかな声が聞こえていた。なんとのろまなわたしだろう。ようやく季語の「鶯」と「人は落ちめが大事」が取り合わせの対照美ではないことがわかってきた。句の芯はふしぎな金の延べ板で出来ていた。そう、芭蕉が「発句はただ金（こがね）を打ち述べたる様（よう）に作（さく）すべし」といったように。

作者はみずからの来（こ）し方を足もとから低くつぶやいている。文学では早くから檜舞台に立ったものの、家庭生活は不幸の連続であった。老の坂を迎えて、改めて落魄の日々をなつかしみ、あわれみ、いたわるかのようだ。鶯の声のあかるみにこころのうるおいが溶けこんでいる。

万太郎はひかりのうつろいを捉える天性の詩人だった。そのやわらかな感受性と、明るさや色あいやくすみを繊細な俳句にする妙技は、いったいどこから生まれたものなのであろうか。

豊潤な感性は四つ上の北原白秋にも一脈通じるところがある。白秋は絢爛(けんらん)、万太郎は清婉(せいえん)である。

ふりしきる雨はかなむや櫻餅　　三十三〜三十七歳作『草の丈』三

ふしぎな俳句だ。中七の切字(きれじ)「や」が花時の雨のひかりに表情を変幻させる。それは詠嘆と疑問のはたらきを兼ねるだけではない。うすもも色の櫻餅にむかって、まるでお酌にでもいうように「お前さんはやみそうもない雨を、あてどなくたよりなく思っているのかい」といたわり慰めるのである。わたしはぽかんと口を開けてしまう。そうしていつか櫻餅の香にしめやかに包まれている。

新涼の身にそふ灯影(ほかげ)ありにけり　　三十六歳作『草の丈』四

初秋の涼しい夜の灯のひかりとかげを肌にふれたかに思うデリケートな感性の句。「身にそふ」というやまとことばは、立ち居に添って冷やひやと灯影のちらめくさまを描出して余蘊(ようん)がない。

時候そのものではなく、うつろうあたりのけはいを絖のように掬いとっている。だれにもわかる直射光ではなく、ひかりの余香をいつくしんでいる。万太郎は三十歳になるまでは真昼の外光が嫌いだったという。実家「久保勘」の紺の香の褪めた暖簾のかげで、十数人の職人たちがよく鞣した菖蒲革で肌なじみのよい煙草入れを作っていたように、父に文弱とみくびられた長男は、鹿革を日本語に代えて、その肌理にうもれたまぼろしめく陰翳を掬いとってみせたのである。

短歌的抒情の止揚

万太郎はものごころもつかないうちから祖母の腰巾着として、東京じゅうの芝居見物に明け暮れた。浅草の職人やあきんどことばを浴びて育ち、浅草の露地や横丁に澱のように沈んでいた江戸文化の残り香に肌でなじんだ。小学生になると詩歌小説を耽読し、やがて寄席通いに安息を見出し、日本語の話しことばの機微にも通じていく。その弾力のある言語感覚の持ち主は、府立第三中学校に進むや、まず短歌、ついで俳句に入れ込むことになる。同人誌「さきくさ」に短歌が残っている。

世を咀ふうらぶれの子の歌とあれて夕さはがし木枯の風

ねやもとむ漂泊人のうしろより暗黒はせまりて星夢のごと

古語をほしいままにして、蒼白沈静な余情をたたえた定家ばりの歌は、とても十六歳の少年の作とは思えない。「もとは短歌のほうが好きだった」と述懐するように、万太郎の俳句の水脈には、この短歌的抒情がひそんでいる。「ねやもとむ漂泊人」は、その後の流寓の生涯を予見しているかのようで、空恐ろしくもある。

しらぎくの夕影ふくみそめしかな　　四十歳作『草の丈』　六五

白菊の大きな花冠に、そこはかとなくしのびよる夕べのけはいを浮かび上がらせ、和歌的古典美の際立つ名句である。王朝の歌に最後の光芒をひく、鎌倉期の永福門院に通うものがあるようだ。

ま萩散る庭の秋風身にしみて夕日のかげぞ壁に消えゆく　　風雅四六八

淡いつやけしの感覚が、姉と弟のように似ていないだろうか。

双六の賽（さい）に雪の氣（け）かよひけり　　三十八〜四十五歳作『草の丈』　六九

「双六」は新年の季語。白黒（モノトーン）に紅一点をさした賽子（さいころ）に、正月の淑気の張りつめた雪のけはいがしずもる。雪催いの淡墨（うすずみ）色の空のひかりを、雪の氣（け）がかよふとしたところ、やまとことばの名匠というほかはない。

夏じほの音たかく訃のいたりけり　　五十九歳作　『流寓抄』　四六九

「六世尾上菊五郎の訃、到る」の前書が付く。あでやかな品格ある役者にふさわしい弔句だ。いまや六世を知る人は激減し、独立した追悼句の白眉となった。大人（たいじん）の訃に接した刹那の衝撃が、にわかに夏の青海原となって昂（たかま）り、獅子のたてがみのごとき波濤が日に砕け、地響きのように轟く。生と死が渾然一体となった真夏の音。名歌に特有の、情念の深いボルテージが迫ってくる。

万太郎の俳句の魅力は、感情と天象のあいだに寸分の隙もない、一枚の呼吸にある。それは詠嘆を引き受けつつ客観視する、柳に風のつよさ、しないいをもつ。短歌の抒情を俳句の冷静さで止揚したしないいがあればこそ、王朝由来の抒情を俳句という定型に注ぎこむことができた。これこそ、万太郎の独自性である。

稚気のままに

俳句の名匠がついぞ子ども心を失わなかったのも面白い。

さびしさは木をつむあそびつもる雪　　六十二歳作　『草の丈』　三三五

積木ということばを出さず、「木をつむ」とミニマルにしたことで、視覚的にも白木の肌と雪のふりつもってゆくさまが、ふしぎな抽象画のように浄らかに眼前する俳句である。一人っ子なのに、親も子も無口を通したという。わが子を素材にした句でありながら、一句の芯には作者が幼い日に味わったよるべない感情もひそんでいそうだ。みずからの稚気にむかって米つぶをみがきに磨き、純米吟醸酒の水晶の芯にいたった十七音といえよう。

時計屋の時計春の夜どれがほんと

四十八～五十二歳作　『草の丈』　一四五

口語の「どれがほんと」が秀逸。朧のひかりにぼおっと包まれた時計屋のファンタジックな光景がひろがる。店の壁いちめんに、掛け時計、柱時計の長針短針があちこちを向いて並んでいる。まるでこの世の人の数だけ、てんでんに時が流れているように。「どれがほんと」と問う少年に、「どれもほんとさ」と、奥からほほえみ返すものがいる。それはあのアインシュタインの「時空の歪み」を、のんびりしたふりをしてすばしこく動く生きものなのではないかしら。お婆さん子であった万太郎の無邪気さが、遺憾なく発揮された、独特の春の名句。

子どもらしい匂いやかな稚気を持ち続けることもまた、非凡な才能といえそうだ。

低徊趣味への反発

万太郎は、漱石の若いころの「低徊趣味」や、「ホトトギス」の虚子の「客観写生・花鳥諷詠」には反発を感じていた。

人情のほろびしおでん煮えにけり　　五十六歳作『流寓抄』三七

「袖振り合うも他生の縁」が実感としてある下町に生い育った人ならではの感性である。鍋に浮かぶ、大根、雁擬（がんもどき）、はんぺんに、時代の波に消えていったあの顔この顔がしのばれる。ほやほやの湯気のむこうの人情のなつかしさ。

ばか、はしら、かき、はまぐりや春の雪　　六十二歳作『流寓抄』五一

いきなり「ばか、はしら」といわれて、ドキッとしない人はいない。それが、「なあんだ、美味しい貝のことなの」となり、はかない春の雪に包まれて安堵する。しかも、この句にはちゃんと本歌なるものまであった。「牡丹に唐獅子、竹に虎……むき身、蛤、ばか、はしら、柱は二階と縁の下……」。江戸しりとり唄である。馥郁たる江戸文化をまとう、なんとも匂いやかな春の雪である。恐れいりやの鬼子母神。

こうして、市井の下積みに生きる職人や芸人の情を数多くの小説にした作者が、「低徊趣味」にアンチ近代を装う倒錯した近代の知性を見、そこに一種のエリート臭をかぎあてたとしても、何らふしぎではなかった。
万太郎の「俳句余技説」は有名だが、若い時分のもので、それはなかば自己韜晦めいた照れ隠しでもあった。四十六歳からは俳句を「心境小説の素」といいなすようになってゆく。「素」は核心であり、飾り気のないいのちのエッセンスである。

かげを慕いて

男性で万太郎ほどの恋句の名手は、そうそういないのではないか。

さる方にさる人すめるおぼろかな

四十六歳作『草の丈』 七四

王朝の恋のような優婉さ。思い人はすでにおぼろのひかりと化している。俳句における和歌的抒情の結晶といっていいだろう。おぼろに美を感じる感性はモンスーン域のもの。日本の風土を象徴するしめやかな恋である。

わが胸にすむ人ひとり冬の梅

五十六歳作『流寓抄』 三六

冬の野にいちはやく清香をくゆらせる冬の梅には、はっとして胸を衝かれる。その佇まいは胸底ふかく慕い続けたひとさながら。これほど清婉な冬の梅は、叙景句はもちろんのこと、長い和歌の歴史にもなかったのではあるまいか。

たよるとはたよらるゝとは芒かな　　六十七歳作『流寓抄』　七二五

最後の恋が、真実の恋であった。芒をぬらす時雨のような女が万太郎には似合っていた。晩年の三隅一子こそ、昼にないひかりを味わわせてくれる生涯追い求めた女人であった。

文学の沃土から

万太郎の絖（ぬめ）のふうあいを持つ俳句の奥には厳しい文学精神が息づいていた。詆徊趣味や花鳥諷詠という、禅味俳味の石を終生抱こうとはしなかった。「句つてものはもツと〳〵まツとうなものなんだ。……手さきや指さきで捏（こ）ねあげるしんこ細工や飴細工ぢやアないんだ……」と、俳句小説「市井人」の主人公、蓬里（ほうり）さんにいわせている。万太郎は俳句という桶から俳句を汲んだのではなかった。文学の大いなる泉から俳句を汲んだのである。

近代の個人主義とは根を違えるその俳句は、分断と格差社会の現代に新たなひかりを放つだろう。

なぜならそれはもっとも親密で馴染みのふかい在所を奪われたものの望郷の歌であり、人間の普遍的感情とわが国の古典文学にしっとりと根ざしたものであるから。

日本語の洗練の極みに万太郎の俳句がある。読むたびに、この文体ここに極まれり、と思う。それは露地の奥に咲いた蓮の花のひかりのよう。かれははたして〈鶯に国は落ちめが大事かな〉と、つぶやくことをゆるしてくれるだろうか。

切れの変幻美

さらば、レッテル

ひとり歩きする。ひとを呑みこむ。それがレッテル。万太郎に貼られたのはウェットな「歎かひ」の俳人だった。芥川龍之介が記した次の序文の効果は大きかった。

久保田氏は元来東京と云ふ地方的色彩の強い作家である。（中略）江戸時代の影の落ちた下町の人々を直写したものは久保田氏の外には少ないであらう。（中略）

…伊藤左千夫の歌を彼自身の言葉のやうに「叫び」の歌であるとすれば、久保田氏の発句は東京の生んだ「歎かひ」の発句であるかも知れない。

（久保田万太郎第一句集『道芝』「序」俳書堂、一九二七年）

左千夫の自然主義「アララギ」のなまの「叫び」の短歌と対置して、万太郎を象徴主義とし、江戸の影の濃い「歎かひ」の俳句と位置付けたのである。わずか二か月後に服薬自殺を遂げる芥川には、懐旧の俳人の後ろ姿がなつかしかったのであろう。「歎かひ」は、上代語の「嘆き続ける」で、上田敏の名訳『海潮音』のボードレール「人と海」による。「寄せてはかへす波の音の、物狂ほしき歎息に」である。

永井荷風を通じてフランス象徴主義に親しんだ万太郎である。悪い気はしなかったろう。とはいえ、俳句が近代の芸術表現とは別の土俵にあることをはっきりと跋文で応えている。「即興的な抒情詩、家常生活に根ざした抒情的な即興詩。――わたしにとって「俳句」はそうした以外の何ものでもありえない」。

少年期から俳句に入れ込み、小説、劇作家として若年にして文壇に地歩を占めた万太郎は、活計に無縁な俳句を、純粋な感偶の抒情詩と見きわめ、虚心にむかう「恋人」とはらを括ることで、初めて俳句という文芸に自在な技法を試みることができたのである。

芥川は府立第三中学校の四年後輩の気やすさから万太郎を〝微哀笑〟のひと、と呼んで晩年よく行き来したが、みずからの死後、先輩が生きてゆく三十六年間と、その句業のみのりまでは予見できなかった。万太郎は「江戸の影の落ちた」浅草の情緒を嘆き続けるマイナーポエットから、日本の美の秘鑰「やつし」を、俳句という詩に体現する大家になってゆくのである。

心技一体の技法百態

ここではその秀抜な表現技法に焦点を当ててみたい。多彩な技法を探りながら、独特の詩的効果を味わってみよう。

①字余りの体性感覚

ふりしきる雨となりにけり螢籠　　二十七歳作『草の丈』六

これがもし定型ならどうなったか。「ふりしきる雨となりけり螢籠」。たった一字の違いで嘘のようにそっけない句になる。中七「に」の字余りがまとわりつくリズムをかもし、そのネトつきが、螢籠のまわりに篠つく雨を降らせ、どしゃ降りにするのである。絶妙な臨場感の字余りといえよう。

次は上五二字の字余り。

西日のがるゝすべなき舟に乗りにけり　　六十四歳作『流寓抄』六〇

身の置きどころもない西日とともに狭い舟に乗り込む体感が肌に伝わる。「のがるゝ」といっておいて「すべなき」とくる焦燥感。悪夢のようなこんな時間は誰しも身に覚えがあるもの。頭でっかちの字余りが強迫観念をもたらすのである。

②句跨りのつや

万太郎の俳句は目にやさしいだけではない。耳や口にもやさしい。句跨りの句は、とくに音読して味わうことに、醍醐味がある。

香水の香のそこはかとなき嘆き　　六十二歳作『流寓抄』 五五

「香水のそこはかとなき嘆きかな」なら平凡に終わった。一句の非凡は「香」の字を畳みかけ強調したあと、扇をあおぐような靉靆たるリズムの句跨りの橋をかけ、向こう岸に「嘆き」を置き去りにしたことである。抱き寄せることのできない女性のしぐさに、そこはかとなく香るもの。羅に透ける肢体から、あえかな吐息がいまにも聞こえそう。

人には逢つてみるもの〻浴衣かな　　六十五歳作『流寓抄』 六二

「馬には乗ってみよ人には添うてみよ」の俚諺を踏まえる。結婚してみようとまではいわないが、「人には逢」ってみなければ始まらない。異性への心おどりがそのまま句跨りのつややかなリズムになって愛嬌がある。

③古語と浅草言葉――息づかい

ものごころつかないうちから東京中の芝居や寄席へ、祖母にくっついて通いつめた万太郎にとって、歌舞伎の科白や噺家の江戸ことばはお手のものであった。こうした悦楽の耳学問をいとぐちに、古今の文学を耽読するようになる文学少年は、そんじょそこらの俳人が敵わぬゆたかな語彙の鉱脈を埋蔵していったのである。

凧の絲まきつゝはゝをおもふめる　三十七歳作『草の丈』二七
枯野はも緣の下までつゞきをり　四十八歳作　〃　一三六
いづれのおほんときにや日永かな　六十一歳作『流寓抄』五二
獅子舞のあはれ狂ひとなンぬ驚破(すは)　六十六歳作　〃　六三

しかし、古語への通暁と、生き生きと使いこなす技とはまた別ものである。万太郎俳句をおいそれと真似できないのは、古語のしなやかさをそのまますみずからの気息とし得たことである。古語に自然な血が通っているのだ。ことに、次の四句などは読書や机上の学問からは生まれようもないもの。がんぜない日から耳に馴れ親しんだ役者や芸人たちの情のこもったかたりくちが調子そのものとして息づいている。

蜜柑むく爪のいかさま苦爪(くづめ)かな　五十九歳作　『流寓抄』　四七九

たツぴつに雲水炭をつぎくるゝ　五十九歳作　〃　四八七

短日や小ゆすりかたりぶツたくり　六十二歳作　〃　五六八

小豆粥身貧(みひん)にうまれつきしかな　七十一歳作　〃　八二九

ほんとうの国語の英才教育は、調教めいた詰め込み教育とは正反対の地平にあることがわかる。万太郎の馥郁たる詩文は、最愛の祖母とくつろぎ楽しむ千鈞の時間に生い育ったのだから。

④口語にかようなつかしみ

江戸の残り香をとどめる浅草ことばに長じた万太郎は、古典や近代文学を読み耽り、やがて同時代の口語も臆することなく俳句にしていった。

時計屋の時計春の夜どれがほんと　四十八〜五十二歳作　『草の丈』　一四五

二十五日、伊賀上野に入る。
ゆく春やみかけはたゞの田舎町　六十歳作　『流寓抄』　五〇〇

何がうそでなにがほんとの露まろぶ　　六十五歳作　〃　六四一

万太郎の繊細な抒情に自在さとなつかしみを添えているのは、なんといっても肩から力の抜けた、このくつろぎの素顔である。

⑤コラボ芸術としての前書

従来の俳句の前書は、句の状況や場所の説明に終始しがちであった。万太郎は業俳とは違い、生活の基盤を小説・随筆・劇作・演出という広範囲におき、俳句のみならず他ジャンルの芸術まで俯瞰できた。そこに独自の前書が生まれた。美術や音楽表現のコラボレーション技法を先取りしたのである。

まずは、土壌も作風も異なる作家との共同作業の一例をみてみよう。

ながれのきしのひともとは
みそらのいろのみづあさぎ
なみ、ことごとく、くちづけし
はた、ことごとく、わすれゆく
——アレン

花すぎの風のつのるにまかせけり　　五十三歳作『草の丈』　二〇六

なぜこれがコラボ芸術かといえば、『海潮音』から抽いた詩を微妙に改編しているからである。詩集名と、「わすれなぐさ」の詩の題を、ともに消している。万太郎にはアレンの詩を自句と一体化し、一つの作品に昇華しようとする意欲がある。うす紫の草花は姿を消し、ひともとの桜の幻像がゆらぎ出す。茫々たる川の流れとさざ波の水際(みぎわ)。「花すぎの風」はながれをわたって頬をそそぎ、よみがえる思い出にあらがいつつ消えてゆく。コラボレーションの見事な成功といえよう。
次は、みずからの片言隻語と俳句とのコラボを。

ある人の來りていひけるは
苦の娑婆の蟲なきみちてゐたりけり　三十七～四十二歳作『草の丈』 一〇三

清方先生を訪ふ。
長き夜やひそかに月の石だゝみ　五十八歳作『流寓抄』 四三三

イタリー着
永遠の都しづもる西日かな　六十一歳作 〃 五二六

双葉山、二十年の土俵生活を捨つ
一生に二度と來ぬ日の小春今日(けふ)　五十六歳作『流寓抄』時代拾遺 七四九

一句目は「ある人」の独白によって情景が立ち上がり、苦しみに満ちた世間をともにする夜長の共感をかきたてる。二句目は鏑木清方も『築地明石町』の女性も、この月あかりの「石だゝみ」を踏みしめて来たにちがいないと想わせる。「イタリー着」の前書は、ベネチアを染める西日の黄金の水とゴンドラの影を盤石の存在と化している。「双葉山」引退の日。珠のような「小春」に、名横綱の土俵人生になりかわった感慨がこもる。どれも一幕劇さながらの奥行きをなす。

⑥「に」は何を意味するか

ところで、俳句を生かすのも殺すのも助詞助動詞のはたらき一つである。ここに、不思議な助詞の「に」がある。

蝙蝠(かうもり)に口ぎたなきがやまひかな　五十八歳作『流寓抄』四二六
鶯に人は落ちめが大事かな　五十六歳作　〃　三五
茶の花におのれ生れし日なりけり　五十九歳作　〃　四三

広辞苑で「に」は、「①時間的・空間的・心理的なある点を指定するのが原義で、多くは動作・作用・存在を表す語に続いて使われる」とある。が、右の句はそのどれでもなさそうだ。近ごろ『去来抄』を再読していて、ふっと気がついた。

草の戸に我は蓼くふ蛍かな　　　其角

芭蕉は弟子其角のいっぱしの隠士気取りに興じつつも、肚の底では次のような諫めの唱和をしている。

蕣に我は飯喰ふをとこかな　　　芭蕉

芭蕉のこの句に対して去来は、「句上に事なし」と評し、堀切実は「一句の表現の上には格別の趣もない」と訳し、「其角の句に唱和するという趣向が生命」の句であると定説通りの解釈をしている（『連歌論集　能楽論集　俳論集』小学館、二〇〇一年）。

だが、はたして、そうだろうか。其角の「に」は肉体の場をしっかり指定する広辞苑の原義の「に」である。場所と境涯の説明であり「〜で」と言い換えが可能だ。かたや芭蕉の「に」は時間でも空間でもない。「蕣で」とは言い換えられない。いままでいわれたことがなかったが、この句にはあからさまではないが、禅の機鋒がひそんでいよう。眼横鼻直である。

そう。万太郎のふしぎな「に」の正体は、芭蕉の禅とは別趣にして、高さにおいて斉しいこころの風光ではなかったろうか。翁の生地の伊賀を初めて訪れた興奮を隠して、〈ゆく春やみかけはたゞの田舎町〉と詠む照れ屋である。〈鶯に人は落ちめが大事かな〉の「に」は、ままならぬ世間を渡りながら、つねにこころを風雅に通わせた精神の位相を表していた。「に」は心位だったのだ。これはやがて『美しい日本の私』を講演した川端康成の〈秋の野に鈴鳴らし行く人見えず〉につながってゆくだろう。

万太郎の俳句技法はたんなるレトリックではない。つねに心技一体。それはあたかもよくしなう青竹を思わせるのである。

⑦漢字の重畳効果

やまとことばの芳醇を持ち味とする万太郎は、数は多くないが、漢字重畳の技法にも挑戦し、いくつかの名句を残している。

一句二句三句四句五句枯野の句　　五十二歳作『草の丈』一九六

こうも数詞を畳みかけられると、句会に次々にやって来る人々の投句の短冊が、枯芒の群にみえてこないだろうか。面々はまた、それぞれの胸に枯野を抱いている。これは現代美術顔負けのハード・ボイルド俳句といえそうだ。

一転して、のどかな漢字の句もいい。

春麻布永坂布屋太兵衛かな　　四十四歳作　『草の丈』　七一

春光を浴びて麻布のゆるやかな坂を一歩ずつ上ってゆく心もちがする。「永坂更科布屋太兵衛」の屋号で江戸に開業し昭和十六（一九四一）年に閉じたなじみの蕎麦屋への哀惜である。更科そばのなめらかさに、麻の長い反物に囲まれ、のどかに布屋を営む太兵衛さんという童話的イメージが重ねられる。A音主体の明るい入れ子構造も永日の手ざわりを醸している。

昭和二年七月二十四日
芥川龍之介佛大暑かな　　三十六歳作　『草の丈』　六二

研ぎ澄まされた神経ゆえに自意識の地獄に呻吟した朋輩を偲び悼む。「大暑」に向かって犇く漢字八字は三十代の葛藤のいたわしい暑熱そのものを感じさせてやまないのである。

ひらがなの寂光土

ここまで、縦横無尽の手法百花園をそぞろ歩きしてきた。いよいよ本丸に迫るときである。本丸といえば空をつく天守閣を想像する。しかし、万太郎はいたってつつましやか。羞じらう嫩葉のよう。そう、天守はまろやかで風通しの良いひらがなの草むらである。

①ひらがな純土

まず、ひらがなだけからなる作品をみよう。

とりとめしいのちつゆけきおもひかな　三十五歳作『草の丈』　三

わらづかのかげにみつけしすみれかな　六十二歳作『流寓抄』　五六八

しらつゆのむつみかはしてあかるしや　七十二歳作　〃　八六九

さりげなくやさしい調べはここちよい。こんなデリケートな俳句はそうそうあるものではない。が、意外にも、ひらがな純土の作品に万太郎の代表句は存在しない。なぜだろう。この疑問を忘れずに、わずかばかり漢字の混じる句をみてみよう。

②漢字一字の句

漢字一字だけの句はここに挙げきれないほどの名句揃いである。一般的な表記にした場合と比べてみよう。

この戀よおもひきるべきさくらんぼ　四十七歳作『草の丈』　一二八

さくらんぼのような彼女。かがやかしい逡巡。うっかり「この戀よ思い切るべきさくらんぼ」と漢字交じりにしようものなら、とたんに意中の人がキツくなってしまう。さくらんぼのまるいひかりも、たゆたう純な恋もすうっと途切れてしまうふしぎさ。

飲めるだけのめたるころのおでんかな　　五十二歳作『草の丈』二〇〇

酒を楽しむもろもろが、ひらがなによって涌き出す。横丁の赤ちょうちんや、おでんを前にしたゆきずりの芸人の嘆きや、酒を飲んで人とつながった時間のあれこれが、かぎりなく読み手の胸に滲みだす。「飲めるだけ飲めたる頃のおでんかな」では、まだ蓋は閉まっている。十六字のひらがなのぬくもりこそおでんのほんわか立ちのぼる湯気なのである。

うすもののみえすく嘘をつきにけり　　五十三歳作『草の丈』二二三

「羅の見え透く嘘を吐きにけり」では、万太郎のやわらかみが消え、世知辛くなってしまう。ひらがなは生まれながらの哀しみをひそませている。

あきくさをごつたにつかね供へけり　五十三歳作　『草の丈』　三三

ひらがなの一字一字に故人を悼む哀しみがこもる。「秋草をごつたに束ね供へけり」では、秋草がよそごとになり、弔意がなぜか卑しくなってしまう。

くもることわすれし空のひばりかな　五十七歳作　『流寓抄』　三九〇

「空」の一漢字だけを象嵌したひらがなによって、ひばりは天心へ永遠に翔けあがり続ける。「曇ること忘れし空の雲雀かな」では、高空が消え去るのである。

人のうへやがてわがうへほたるかな　五十八歳作　『流寓抄』　四九

水辺のくらやみにどこからともなく碧白いひかり。おぼつかない足もとの底知れなさ。「人」一字におしよせるひらがなに、梅雨時の闇の茫洋とした手ざわりがある。「人の上やがてわが上螢かな」では、螢が信号機になる。

水にまだあをぞらのこるしぐれかな　六十三歳作　『流寓抄』　五六七

初冬の水面をつかのま縹いろに染めてゆく大空の縹渺としたけはい。「水にまだ青空残る時雨かな」では、にわかに品下る即物描写と化す。「時雨」は、ひらがなになって初めて一句に溶けこむことができた。もはや季語はこの句の主題ではない。モチーフはもっと広々と大きい。そう、「水」なのだ。墨画の巨匠、南宋の馬遠が水の千変万化を描き、北斎が波や滝の百態に一生を参じたように、万太郎も水の表現に執した。幼少から誰よりも隅田川の水を愛したのである。そこに〈短夜のあけゆく水の匂かな　三五三〉という熟年期（五十六歳）の絶唱も生まれた。ちなみに、浅草観音は隅田川の水底から涌出したみほとけとして伝わっている。

割りばしをわるしづこゝろきうりもみ　　六十六歳作　『流寓抄』　六六九

涼しい句である。これが「割箸を割る静心胡瓜揉」なら、騒がしい暑苦しさへと一変する。「きうりもみ」の翡翠色もなにもあったものではない。ひらがなこそ涼しさのみなもとであった。

③季語のみ漢字の句

季語だけを漢字表記とした俳句もまた、名句充棟である。

竹馬やいろはにほへとちりぐに

三十五歳作 『草の丈』 二六

浅草寺境内の木陰の句碑に瀟洒な文字が刻まれている。すでに古典といっていい極めつきの名句は、万太郎俳句の汲めども尽きぬ秘密を問いかけてくる。竹馬に乗って遊んだ幼なじみの運命の変転がわずか十字余りのひらがなの入れ子に畳みこまれている。そこから涌き出す幻像の清雅なこと。一句に連句の転じを畳みこんだ、匂い、うつり、ひびきのたゆたう交響に、時代を超えてわたしたちはほれぼれと遊びくつろぐのである。ひらがなのいろは匂ふ。

いへばたゞそれだけのこと柳散る

四十七歳作 『草の丈』 一三三

できれば小筆で、和紙のゆるやかな行間にかすれを楽しみたいひらがなのつづりは、やがてほっそりとした柳紅葉となって、はらはらとまなかいをよぎるのである。

ゆふやみのわきくる羽子をつきつゞけ

五十～五十一歳作 『草の丈』 一七五

正月の暮れかかった空に羽子だけが浮き上がる。コーンコーンという澄んだ音色とともに。

釣しのぶたしかにどこかふつてゐる　五十三歳作『草の丈』 三三

読み手はひらがなの魔法にかかってしまう。「釣忍確かに何処か降つてゐる」では理に落ちる。小品とはいえ、日本語表記の機微を捉えた神韻といえよう。

焼芋やいまはむかしのゆめばかり　六十六歳作『流寓抄』 五一

なんてかわいい夢。ほこほこ切なくとろける甘さ。これもひとえにひらがな力のたまもの。

簾(すだれ)かけてわづかにかくしえたるもの　六十六歳作『流寓抄』 六四

流寓生活にあっても、簾越しのひらがなの風をなぐさめとする。そこに恥じらい深い万太郎がいる。

たよるとはたよらるゝとは芒かな　六十七歳作『流寓抄』 七五

おたがいにもう人間をやめ、芒になって風にそよいでいたいね。

しろきものおちてきたりぬ去年今年（こぞことし）　　六十九歳作『流寓抄』七六四

ひらがなのまどろむやわらかさがとめどもなく天から舞い降りてくる。「白」一字さえ要らない至純のミニマリズムである。

こしかたのゆめまぼろしの花野かな　　七十二歳作『流寓抄』八七四
湯豆腐やいのちのはてのうすあかり　　七十三歳作 〃 八八九
花冷えのみつばのかくしわさびかな　　七十三歳作 〃 八九六

この世をほどなく旅立とうとするひとが遺した表記はかぎりなくやさしい。はやもはや、寂光土の風光さえおもわせるようだ。

④漢字二字の句

漢字二字だけの句も忘れがたいものが多い。

さびしさは木をつむあそびつもる雪　　六十二歳作『草の丈』三五

浄らかな余韻に包まれる句である。無心にあそぶ子どもと、白木の肌をつつんでゆく雪が、ふしぎな抽象画のよう。無口な父はものかげに消えている。一人子、耕一の遊ぶ姿から着想された句だが、これはこの世に産み落とされたすべてのおさな児の思いかもしれない。いや、子ども時代を超えた、ひとのこころの原郷であろう。

じつは、やさしく単純な措辞とさりげない調べの奥に、執念ともいうべき推敲の歳月が隠されていた。まず、第一句集『道芝』の〈淋しさはつみ木あそびにつもる雪〉を、〈淋しさはつみ木のあそびつもる雪〉(『久保田万太郎句集』三田文学出版部、一九四二年)と改稿した。さらに、六十二歳で上梓した『草の丈』で、ようやくこの形に治定したのである。三十五歳で摑んだ詩の核心を、四半世紀にわたって粘り強く磨き上げる。これも万太郎ならではの至芸である。この世に身体を引きとどめるのは雪とつみ木だけに思えてくる。

したゝかに水をうちたる夕ざくら

三十六歳作　『草の丈』　三八

水にうち清められた甃(いしだたみ)を、花びらを透かすほのぬくい夕闇が溶かし、そこに小さな門灯が落ちてかがよう。さそわれる。晩春の四重奏のしじま。

さる方にさる人すめるおぼろかな　　四十六歳作　『草の丈』　七四

しら梅かあらずしらたまつばき汝（なれ）　　四十六～四十八歳作　〃　一〇九

何処とはしれず「おぼろ」夜に臈長（ろうた）けた女人が思われ、こころ惹かれてゆく。ひらがなこそ、おぼろの最たるものであろう。「白梅かあらず白玉椿汝」と書いてみれば驚く。たちまち狸に尻尾が生えるようだから。品のいい恋の戯れもまた、ひらがなの香あればこそ。

はんけちのたしなみきよき薄暑かな　　五十七歳作　『流寓抄』　三九五

「ハンケチの嗜み清き薄暑かな」の表記では、二重季語がにわかに不潔で野暮くさく感じられ、暑苦しい。一句は筆で書くとひらがなが涼しげに散り、いっそう季語がひかるのである。

すつぽんもふぐもきらひで年の暮　　七十歳作　『流寓抄』　八二五

万太郎は「やつしの美」の大家である。食すことはもちろん、河豚と書くことさえなかった。

近代俳句史において、そのオリジナリティーは際立つ。独創性のみなもとは、作者の骨髄とも生理ともなっていた、ひらがなの呼吸の深さにあったのである。

盛んな文運とはうらはらに火宅のひとであった万太郎は、浮世を堪え忍ぶ思いを簡古な漢字に託すことはできなかった。まるくやわらかな連綿のひらがなの薄あかりに託した。一つ二つの漢字に、ひらがなの「すやり霞」が靉靆とたなびくけはいのうつろいにこそ、文学者の本領はあった。万太郎には壮麗な近代建築めく詩文はそぐわない。ひらがなと漢字が近景と遠景にフラッシュバックして、かわるがわることほぐはかない俳句こそが似合う。一重仕立てではない深い陰翳がそこにやどり、微哀笑をもらすのである。

あわいに生きる美学

ここに、ひらがなをモチーフとした特筆すべき句がある。

いろは假名四十七文字寒さかな　　五十八歳作　『流寓抄』時代拾遺　七五一

「假名手本忠臣蔵」開口

討ち入りをする赤穂の四十七士も寒いが、いろはにほへと四十七の一字一字も寒いことだよ。日本の書字も芸能も、昔から冷、凍、寂、枯をしのんできたのだから。

ひらがなを主題にして、日本文化の総体をいいとめた名句である。万太郎にとってひらがなは、たんなるやさしさでも、やわらかみでもなかった。繊細な感性は、つづられた連綿のひらがなの底に、ちぢれるような寒さの匂いまで嗅ぎとらずにはいなかったのである。

日本語の特殊性は、中国の漢字を招来して咀嚼し、千数百年をかけてやまとことばと同居し、むつみあってきたことにある。そこに、漢字だけでも、ひらがなだけでも表現できない、たゆたいの情、「切れ」の余白が生い育った。

茶の湯を確立した村田珠光の「和漢のさかいをまぎらかす」（「心の文」）は、漢字と仮名にとどまらず、陶芸、能楽、絵画、連歌、俳句など、諸芸能を貫流する「切れ」の文化となって成熟を深めてきた。やまとことばの名匠たる万太郎は、日本語のこうした消息に深く通じていた。だからこそひらがなの純土に安住をきめこむことはなかったのである。

万太郎は「和漢のさかいをまぎらかす」のではなく、和漢のあわいに俳句のいのちをかけた。一つ二つの漢字にうちよせるひらがなの水際（みぎわ）に、匂い、うつり、ひびく「切れ」の変幻美を掬いとったのである。そこに彼の俳句を誰も真似できない詩の秘鑰がある。

コロナ禍以降、メタバースのなかでアバターとして自由に行動しましょうという誘いが多い。それが、神か悪魔の囁きかを知らない。だが、生きて愛して死んでゆく生の原質からの離反には違いなかろう。なぜならそこには表層の快美がメガ資本によって周到に用意され、人間の生につきものの虚構と現実とのあわいに生まれる相剋が消去されているから。相剋のない生とは退行である。

火宅をくぐり、市井の人と苦楽を分かった万太郎の俳句は生の原質を、その手ざわりを、ふるえるような息づかいで肌に伝える。生きがたい現代社会に、アバターという糖衣に包まれて人と交流する退行期のホモ・サピエンスに、万太郎は飽きることのない水の匂いをくゆらせる。素顔と素肌にくつろぐ風合いを味わわせてくれるのである。

東下りの業平が身を「えうなき者」に思いなしたように、万太郎は男盛りの三十七歳で、俳句を処世には無用の恋人と定めた。現世の女運は悪かったが、風雅の恋人運はよかった。早世した芥川のあずかり知らぬ七十三歳まで、俳句という恋人とゆたかにまぐわい、後世に芳醇な子宝を残してくれたのである。

Ⅳ　エロスとタナトスの魔境　飯田蛇笏

高校時代、蛇笏と出会う

ものごころがついたときには両親は不和で家庭は修羅場だった。わたしは、小学校の高学年から二つの森に助けを求めてさまよい始めた。一つは山や川という自然の森、もう一つは本ということばの森に。詩や小説や、老荘思想、原始仏典や大乗仏典などを乱読した末に、ようやく出会ったのが、俳句だった。厭世感にとりつかれていた少女は、歳時記の一句に眼が釘付けになった。

落葉ふんで人道念を全うす　　三十歳作『山廬集』

にわかに、しーんとした山のしじまに佇んでいた。散りかさなった落葉。その湿り気。やわらかな踏み心地。でも、いったいなぜそれが「道念を全うす」ることになるのか。山かげに思わず蛇笏の背中を探していた。もしかして俳句は仏道と同じなのだろうか。しかし、精進ではなくて「落葉ふんで」といっている。驚いた。頭がぐるぐる回った。そのとき、ふと「死屍累々」ということばが浮かんだ。いままで地球上でどれほど無数の生死が繰り返され、いのちをつないで来てくれたことか。思えば、夜ごと夢中で読んでいる本もすべて死者たちの書いたものであった。

人類の歴史も、自然の歴史も積年の落葉、死屍累々だった。いのちの果てしもない連環があって、その旅路の先っぽで息をしているわたしは、夜空の北斗七星からしたら、またたきほどを生きて、未来の人たちに願いを託して死んでゆく。そうか。人は、おぎゃあと生まれて、棺の蓋を川原の石でコンコンと叩いて、それで終わりではないんだ。

高校入学の前後に亡くなった祖父母は、まだほかほかと赤みの残る散りたての紅葉のようだった。死んでいった人たちの思いを落葉踏むように受け止めて、人は初めて小さな自分の志を全うすることができる。いのちは自分ひとりのものではなかった。蛇笏の落葉を踏む足音が聞こえた。

そのとき、見たことも会ったこともない飯田蛇笏（明治十八〔一八八五〕～昭和三十七〔一九六二〕）が人生の師として立ち上がった。一句で作者を信頼していた。

蛇笏の多声音楽（ポリフォニー）

近代の俳句表現史上で蛇笏は質量ともに万太郎と双璧をなす。青壮年期の秋季だけでも、名句が目白押しだ。

芋の露連山影を正うす　二十九歳作『山廬集』
たましひのしづかにうつる菊見かな　三十歳作　〃

秋真澄である。透きとおる「芋の露」に「連山」は居ずまいをただし、みずからの座についている。手前の芋の葉の露の玉と、遠景の澄みわたる山脈とが照らしあう廓然たる光景である。同時に、小さな露に連山が映りこむマジックリアリズムが重なる。蓮華蔵世界をかいまみるかの神秘感がただようのである。「たましひのしづかにうつる」白菊は、詩人にとっての神鏡であろう。このとき十七音詩は、たましいの余香となる。

流燈や一つにはかにさかのぼる　三十五歳作『山廬集』
折りとりてはらりとおもき芒かな　四十五歳作　〃
くろがねの秋の風鈴鳴りにけり　四十八歳作『霊芝』

盆の終わりには川に灯籠を流す。かけがえのない人は「流燈」になって、水に揺らいで立ちまよう。「にはかにさかのぼる」この一瞬を誰も知らない。愛する人とわたしだけのたまゆらである。「はらりと」した芒の手取りはやわらかい清秋の風をひろげる。「くろがねの」風鈴が鳴る。誰ひとり蛇笏の自尊の秋天を侵せない。が、万人をはるかな高みへ誘ってくれる。この世ならぬ一塵の濁りもない秋気へ。近代俳句の到達した不易の宇宙が鳴り響く。

蛇笏は芥川龍之介と淡交があった。芥川は世の俳人たちを「奸物（かんぶつ）」揃いと感じ、蛇笏のこともその同類と思っていた。しかし、歳時記に発見した次の蛇笏句から評価を一変させたのである。のみならず、「句境も剽窃し」て「冬帽子」の句をつくったのであった（『芥川龍之介全集 第六巻』「飯田蛇笏」岩波書店、一九七八年）。

死病得て爪うつくしき火桶かな　　蛇笏　三十歳作『山廬集』

家族の熾（おこ）してくれた丸火鉢に、肺病やみが起き上がる。あだごとの日々にすき透るばかりになった手がすべらかな火桶を抱く。いのちの残り火めいた血色のうすい爪が玉ぶちをさまよう。炭火は驕るようにいよいよ炎（も）えさかっている。

癆がいの頰美しや冬帽子　　龍之介　二十六歳作「ホトトギス」

長わずらいの結核患者が冬日和にたまさかの外出をする。目深にかぶった冬帽からのぞく白くやつれた頰に、あるかなきかの赤みがさす。そのなんと美しいこと。

両句は肺病やみのからだの美と冬季が共通する。だが、芥川は蛇笏の句境まで真に「剽窃」し得ただろうか。芥川の句は「癆咳の頬が目深な冬帽子に美しいことだよ」という散文にほぼ置き換えられる。頬と冬帽子は取り合わせで、「や」は詠嘆の余情である。では、蛇笏はどうか。散文には置き換えられないのである。「うつくしき」は爪と火桶両方にかかり、たんなる配合ではない。「かな」の切れは余情を超えた余白だ。蛇笏は美の奥のものを観ている。切れによって生じた余白に死病を得た爪はいまも生きて宙をさまよう。対象に浸透する心根の深さは、芥川ほどの才気をもってしてもついに「剽窃」できなかった。若くして蛇笏は奥ふかい余白を響かせる俳句の多声音楽(ポリフォニー)を獲得していたのである。

エロスの豊饒

人間の死は性に由来する。理論上、単性生殖に死はない。死は有性生殖の生命に定められた必然である。フロイトやバタイユが二十世紀の文化に強い影響を及ぼしたエロスとタナトスは、蛇笏にとっては必ずしも二項対立のものではなかった。

竈火赫とたゞ秋風の妻を見る　二十九歳作『山廬集』
つぶらなる汝が眼吻はなん露の秋　二十九歳作　〃
閨怨のまなじり幽し野火の月　三十歳作　〃

みそか男のうちころされしおぼろかな　三十二歳作　〃
口紅の玉虫いろに残暑かな　四十六歳作　〃
歔欷くこゑ閨中に大椿樹　五十四歳作　〃
薔薇園一夫多妻の場をおもふ　七十一歳作　『椿花集』

小説的結構による彫りの深いエロス七句である。「山廬」の別号をもつ蛇笏とて、すんなりと自然に随順したわけではなかった。早稲田に学んだ蛇笏は小説家を志望していた。都会で文学を続ける誘惑と闘い、近代的自我に悩んだのである。エロスの深さは抱えこむ渾沌とパラレルである。

人の着て魂なごみたる春着かな　四十二歳作　『山廬集』

えもんかけに正月用の晴れ着が掛かっている。でろりとして華やか。同時に、冷たい霊気も感じられる。年が明け、娘が被て出る。着物の表情は現し身を得ることでようやくなごみ、ともに新春をことほぐのである。これは近代人の感性ではなかろう。江戸中期の伊藤若冲の『付喪神図』が連想される。その絵には、使いふるした茶釜や茶碗にやどる精霊が集まってくる。蛇笏の「春着」にも何かが憑いていそうだ。それを当今流行りのアニミズムの一言で片付けたくはない。蛇笏の季語は、風土に根ざす隠喩の多層構造という「興」の呪力を帯びている。そこになまなましい存在の根があるのである。

蛇笏のエロスはこうした人界だけにとどまらない。次の初老期の句群では、いっそう死は妖しく匂い、生はうつつと綺想のはざまに、なまなましく脈動し出す。

吹き降りに瀬をながれ去る女郎蜘蛛　五十三歳作『山響集』
夏雲群るこの峡中に死ぬるかな　五十四歳作〃
青蜥蜴岩磐すべるひゞきあり　五十五歳作『白嶽』

冬の名句とタナトス

フロイトは「快楽原則の彼岸」で生命活動の力を二種の衝動に区別した。合一と生命の更新を求める性的欲動のエロスと、死と破壊への欲動のタナトスである。後者には原初の生命体が宿していた「無生物に還ろうとする最初の本能」があるという（『フロイト著作集　六　自我論・不安本能論』人文書院、一九七〇年）。深い指摘だ。蛇笏の俳句にはそんな途方もないことまで想起させる力がある。

作者は俳句の真の意義を「芸術的心境の高さをめざす、所謂「腹の俳句」に心を打ち込むこと」（『俳句文芸の楽園』交蘭社、一九三五年）とした。それはとりわけ冬の句に大きな精華をもたらした。

冬の美は「東海道の一筋しらぬ人」には味わえない。春夏秋の風物にこころを深くかよわせ、はじめて腹落ちするものだ。ひとの一生を四季にたとえれば、冬は死に近い。唐木順三は『日本人の心の歴史』で、冬の美を自覚的に表現したこころの背景に迫った。そこから余情と余白の歴史上の出自のちがいを看破したのである。

余白の問題になると、そこに表現されてゐるものと、「余」のものとの間は直接には連続してゐない。いはば非連続の連続である。そしてその「非」の介入が王朝期或ひは上代と、鎌倉室町期或ひは中世を区別、または断絶させてゐる根本的条件である。(中略)反対への転換、矛盾するものの同一という逆説は、王朝期の文学芸術には無かつた。

(『日本人の心の歴史　上』筑摩書房、一九七三年)

余白は鎌倉期以降の産物であり、王朝の余情を敷衍したものではないのである。それは、〈み渡せば花ももみぢもなかりけり浦の苫屋の秋の夕ぐれ〉と定家に一旦否定され、鎌倉期の禅の精神による止揚を経て生まれたのだ。俳句にもどれば、この「非」の介入によってもたらされる「非連続の連続」が生む余白こそ、芭蕉の発句を文学たらしめた「切れ」である。それによって俳句は作り手読み手の双方が感情を浸透し合うことのできる「余白の芸術」になった(恩田侑布子著『余白の祭』深夜叢書社、二〇一三年)。拙著では、雪舟の「冬景図」奥の垂線に、有と無、生と死の差別を生み出す源としての「原初の切れ目」を見、「無限の世界を湧き立たせる源」を観た。厳冬の孤独に耐える精神のみがそれを知り、肺腑に収めて帰俗したものの表現を「冬の位相の芸術」と呼んだ。

冬の位相の芸術家には定家、世阿弥、心敬、雪舟、利休、芭蕉らがいる。近代においてその法灯をもっともよく継いだのは蛇笏である。言葉にし得ない「無のほとり」を往還する「切れ」は余白と冬の美を愛する大人(うし)のものである。

山国の虚空日わたる冬至かな　三十歳作　『山廬集』
極寒の塵もとゞめず岩ふすま　四十一歳作　〃
雪山を匐ひまはりゐる谺かな　五十一歳作　『霊芝』

「山国」の詩人は「虚」の側に肚を据えて、冬至の日を仰いでいる。寒天に屹立する「岩ふすま」は煩悩の塵をとどめない清浄な魂の姿である。「雪山」の底からは死んでも死にきれない底ぐらい情念が雪白の肌を匐(は)いまわる。

寒を盈つ月金剛のみどりかな　五十二歳作　『山響集』
冬滝のきけば相つぐこだまかな　五十七歳作　『心像』
年暮るる野に忘られしもの満てり　六十八歳作　『家郷の霧』

寒満月は金剛石となり、やがて金剛界のみどりに極まるだろう。「冬滝」は獅子吼(ししく)。玄々(くろぐろ)と咆哮(ほうこう)

する。それは底暗いたましいの雄叫びである。「年暮るる野に」存在を忘れ去られた生きとし生けるものたちはうごめき、言葉なき愛も満ちゆく。

寒の月白炎曳いて山を出づ　　六十八歳作『家郷の霧』
おく霜を照る日しづかに忘れけり　　六十八歳作　〃

「寒の月」は山の端から白い炎の尾を曳いて出る。山国の地においた「霜」はゆっくりと溶けほどける。この世で味わったしびれるほどの傷(いた)みは、冬の日輪によって寂寞(じゃくまく)と忘れさられてゆく。ぶあつい肉体感を持った雄勁な冬の美は古今独歩であろう。

蛇笏世代の平均寿命は約四十二歳で〈まなことび腸ながれありほとゝぎす〉と、村では横死も珍しくなかった。が、いつの世も逆縁こそは最大の悲しみである。蛇笏は五十六歳のときに次男の病死、還暦前後に長男と三男の戦死に遭遇した。だが、相次ぐ悲劇にも精神を荒ませず、芸術的心境を磨き上げていった。無声慟哭を老艶へと反転させたのである。

生の円環運動

川端康成は「仏界易入　魔界難入」という一休の詞をよく揮毫したという。晩年の蛇笏もまた、魔界を行き来したと思える。

ぱつぱつと紅梅老樹花咲けり　六十二歳作　『雪峽』
春めきてものの果てなる空の色　六十八歳作　『家郷の霧』
炎天を槍のごとくに涼気すぐ　六十九歳作　〃
荒潮におつる群星なまぐさし　七十七歳作　『椿花集』
涸れ滝へ人を誘ふ極寒裡　七十七歳作　〃

蛇笏を遠巻きに、いま巷(ちまた)ではお手軽なポップコーン俳句がはじけ続ける。蛇笏が肚の底からしぼり出した俳句は言語哲学者、丸山圭三郎のことばを思い出させずにはおかない。

〈狂人〉と芸術家（および思想家）のいずれもが、意識と身体の深層の最下部にまで降りていって、意味以前の生の欲動とじかに対峙(たいじ)し、この身のうずきに酔いしれる。しかし後者は、たとえその行動と思想が狂気と紙一重であっても、必ずや深層から表層の制度へと立戻り、これをくぐりぬけて再び文化と言葉が発生する現場へと降りていき、さらにその欲動を昇華する〈生の円環運動〉を反復する強靱な精神力を保っているのではあるまいか。

（『言葉・狂気・エロス』講談社、一九九〇年）

蛇笏の句業こそ「生の円環運動」だった。現実には甲斐の地主の跡取りとして境川村に根を下ろし、村人たちの生活に寄り添いながら、たぐいまれな詩魄を貫いた。詩魔は終焉までエロスとタナトスのダイナミックな生成を続けたのである。

俳号、蛇笏。笏は本来は玉や象牙や一位でつくる。蛇体の笏とは、何という綺想であろう。天神を拝する笏は、一句を口遊む人の胸にたちまち一匹の青龍となって立ち上がる。時を超えて。

V　戦争、エロスの地鳴り　三橋敏雄

白帆をあげて

死んでも颯爽としている人がいる。

その人はいつも、襖を音もなく引いて、鴨居につくような長身をあらわした。箱根湯本の住吉旅館だった。

句座の中心は日本最後の絵師といわれた平賀敬画伯。壁に貼る模造紙に太筆で清記してくれるのは弟子の招き猫の画家、美濃瓢吾さんだった。したたるほどの濃墨で書かれた全句がぐるりの壁に貼り出され、ふしぎな運座が始まる。ついさっきまで一升瓶を枕に大鼾(おおいびき)をかいていた面々がむっくりと起き上がる。目を覚ましたとたん、人の句をほめるもけなすも、遠慮会釈などあったものではなかった。

〈柚子満載四トントラック横転す〉、愚雨(ぐう)こと平賀敬さんに、〈こら空を剝がすな空の裏も空〉、陶四郎こと種さん（種村季弘）が目を細める。〈コンドーム四トントラック驀進す〉とすかさず茶々を入れる輩まで。いつもにこやかな敬さんは〝赤鼻のトナカイ〟の異名を持っていた。酒焼けした苺鼻からはちょっと想像しにくいが、青年時代は絶世の美男だったそうな。杯盤狼藉の句会へ、遅れて風のようにやって来る人がいる。

「よッ。三橋さん、待ってました」

空気がパッと引き締まり、明るくなる。ブリキの彫刻家、秋山祐徳太子さんがいそいそと場を取りもつ。「酔眼朦朧湯煙句会」で三橋敏雄さんはただひとりのゲストだった。句会の中心照明が無頼の美術家たちなら、空気をやわらげる間接照明はドイツ文学者の種さんと池内紀さんだった。編集者、画廊主、自称企業コンサルタント……それに液体要らず、空気で酔っ払うわたしまで、平気で句会に混ぜてもらっていた。

「男が男にほれるって、あのひとのことだよ」と、三橋さんはいわれていた。「海の貴婦人海王丸に長く乗っていたんだ」。こっそり教えてくれるひともいた。清水に寄港したときに子どもたちと見に行った晴れやかな白帆がよみがえった。

たましいの蒼さ

三橋敏雄は二十三歳で海軍に応召された。戦後は五十二歳まで、航海練習船の事務長を務めた。昭和四十一（一九六六）年刊行の第二句集『まぼろしの鱶』に、「沖から見る日本列島は美しかったが、常に波浪に隠れ易く、あわれであった」とあるように、その俳句世界は、陸上と海上という複眼に裏打ちされている。

かもめ来よ天金の書をひらくたび　『太古』昭和十六年

死の国の遠き桜の爆発よ　『まぼろしの鱶』昭和四十一年

十七歳作の「かもめ来よ」はういういしい。少年は白の革表紙に天金がほどこされたクラシカルな装幀の一冊を大切にしている。頁を開くたび、本のかもめも真っ白な翼を広げる。天空の彼方から飛来するかもめを待っているのだ。書物の森をさまよう十代のみずみずしい精神を宇宙的な伸びやかさで造形した青春俳句の金字塔である。「死の国の」は一転して、青海原の洋上はるかから望見した日本のあとさきなしの戦争である。洋上の波間にまざまざと甦るのは、靖国の桜の下で会おうと、軍国教育を受け、赤紙一枚で召集され、人生を何ほども生きないうちに、南の島々で、いたわしい餓死によって白骨と化していった死の「爆発」なのである。

長濤を以て音なし夏の海　『長濤』昭和五十七年

轟沈といふ語ありたり山紅葉　『しだらでん』平成八年

「長濤」の句は、敗戦日本の夏の海を無惨な輝きのうちに封印する。大いなる波濤が最後の最後に崩れる、その残響――。現よりも濃い幻聴の鎮魂曲である。「轟沈」の句は、時を経てなお作者を襲った凄まじい強迫観念であろう。昭和元禄のほとぼりも冷めたころ、まのあたりにする山紅葉の絢爛が発火点となった。遊山は一瞬にして同世代の戦友の断末魔を呼びおこしたのである。大日本帝国海軍の艦艇三千五百余隻とその海兵隊員が米軍に撃墜され、いま、山という山、谷という谷の紅蓮が阿鼻叫喚と化してゆくのだ。

三橋は十六歳で日中戦争、二十歳で徴兵検査、二十三歳で応召と、戦争の重圧に耐えながらも、「新興俳句即社会性俳句也」と、こころひそかに念じ、白泉らと古俳諧を研究し続けた。批判精神を明け渡すことはなかった。戦後も自身の終焉まで、声を上げられず皇国思想の犠牲となった友人たちを悼み続けた。「轟沈」の措辞はその壮絶なる熟成である。

三橋敏雄は八王子の絹織物業を営む裕福な家に生まれたが、小学校時代に家産が傾き進学の夢を絶たれた。貧しさにこころ折れず、独学し続けた俳句には毅然とした品位がある。

鬼やんま長途のはじめ日当れり　『眞神』昭和四十八年
たましひのまはりの山の蒼さかな　〃
絶滅のかの狼を連れ歩く　〃
暗闇を殴りつつ行く五月かな　『長濤』

齢のみ自己新記録冬に入る　『しだらでん』

「酔眼」の二次会だった。上戸のそばにいるだけで酩酊するわたしは、ここでもたわごとをぬかした。よほど肌からアルコールを吸っていたらしい。

「俳句のつくり方を教えてください」

「いやだね」

一言のもとに撥ねつけられた。

「俳句をどう書くか、いままで長いこと一生懸命やってきたんだ。ひとに教えると損しちゃう。ソンなことはしません」

なんと。如来に秘密の握り拳なしっていうじゃん。胸のうちで反発した。本気でケチと思った。

三十代のわが幼さに、いまは呆(あき)れるばかり。

無季の可能性を追って

『証言・昭和の俳句　増補新装版』（コールサック社、二〇二一年）は、学徒出陣世代の俳人十三名が傘寿を迎えて、己が俳句と生涯を振り返った証言集である。その饒舌なこと。聞き手でもありプランナーでもある黒田杏子のふところに、みなのびのびと気持ちよく遊べたのだろう。時代の証言は自分自身をさらけ出す。そこでは一個人の俳句遍歴譚だけではなく、戦争の世紀を生きた表現者としての時代認識がとうぜん問われるのである。

本書に登場する半数の俳人の謦咳にわたしは接することができた。なかで、論作ともに膝を打ったのは、やはり三橋敏雄であった。戦前から戦後まで、新興俳句と無季俳句の変遷にかんする証言にも鋭さがある。白泉の門を敲いて三鬼を紹介され弟子になったが、「こと無季俳句については先輩も後輩もないんです。マニュアルがないんですから」という。

無季には作法書がいまだ存在しなかったというのだ。これにかんしては、三橋と直にした会話がよみがえってくる。「酔眼」の二次会で、最近の拙作にどんなものがあるか、尋ねられたのである。

「〈擁きあふ肌という牢花ひひらぎ〉など、つくりました」

「まだ、甘いな」

「きびしいんですね。どこが、ですか」

「季語だよ」

「そうですか？　動きますか」

「そういうことじゃない。擁きあふ肌という牢、まではいい。が、無季にすべきだ。さらに句が大きくなる」

贅言を弄しない海の男の潔さ。無季の可能性に微笑まれた意味を、三十年も反芻して来た。

「有季定型は油断すれば予定調和になる。季語に足をとられるな。無季でなければ言えない世界がある。遠くを目指せよ」。こう仰りたかったのではないかしらん。季語を愛すれば愛するほど、精神と社会の破調にも無季会いたいと思うこの頃である。作者の本願であった超季の三絶を敬意とともにここに掲げたい。

昭和衰へ馬の音する夕かな　『眞神』

鉄を食ふ鉄バクテリア鉄の中　〃

手をあげて此世の友は来りけり　『巡禮』昭和五十四年

「昭和」の夕暮れの彼方から響いてくる馬蹄の幻聴は三橋の生の原型だと、川名大は評していた（『挑発する俳句　癒す俳句』筑摩書房、二〇一〇年）。季節は巡っても、戦争を循環させてはならない。民主主義は、国民がそれを担う努力を怠るスキを狙って衰え始める。近年の投票率の低下は、鉄バクテリアが「鉄を食ふ」のにまかせているようなものである。「手をあげて此世の友は」よおっ、とやって来る。しかし、高度経済成長の繁栄に忘れ去られていった戦死者、国家の掲げる美名のもとに虐殺された同世代の戦死者たちは指一本すら動かせない。軍帽のかげから、あの日のうら若いまなざしを送ってくれるだけなのだ。

戦争の世紀を引き受けて

なにかの拍子、三橋に「楸邨山脈は大きいですねえ」とつぶやいたら、さっと、目の色が変わった。

「楸邨は戦争中、急に後鳥羽院へ行ったからね」

「〈隠岐やいま木の芽をかこむ怒涛かな〉ですね」

「軍部の顔利きが弟子にいたんだ。日本中が物資窮乏で、俳誌に使える紙なんかこれっぽっちもなかった。三鬼やわたしのいた「京大俳句」は弾圧に遭った。楸邨の「寒雷」には紙がたくさんあって印刷も自由にできる。若い人が集まるわけだ」

三橋の胸の底には、白泉や三鬼と芸術の熱に燃えた戦時下の青春が滾り火照っていた。どんなに情熱を注いでも、弾圧と獄死の恐怖によって、俳句を発表できなかった時代の重苦しさが、いまも眼の奥にありありと沈殿しているのをわたしはみた。

『証言・昭和の俳句』の「三橋敏雄自選五十句」に、没後の『定本三橋敏雄全句集』（鬣の会、二〇一六年）も総覧し、俳句表現史上に戦争の世紀をまざまざと刻印した秀句を挙げたい。それは戦争体験を俳句によって昇華し、大量虐殺を生んだ昭和の反省に生涯をかけた高潔なたましいの一筋の長いみちのりである。反戦を声高に叫びメディアの寵児となった某権威を尻目に、三橋は戦中派としての人間の責任を、ひたすら俳句によって熱く静かに果たし続けたのである。

海山に線香そびえ夏の盛り　『まぼろしの鱶』昭和四十一年

手をあげて此世の友は来りけり　『巡禮』昭和五十四年

戦争と畳の上の団扇かな　『畳の上』昭和六十三年
死にに消えてひろごる君や夏の空　〃
戦争にたかる無数の蝿しづか　〃
おびただしき人魂明り花盛　『しだらでん』平成八年
当日集合全国戦没者之生霊　〃
秋の字に永久（とは）に棲む火やきのこ雲　〃
立ちあがる直射日光被爆者忌　「俳句朝日」平成八年八月号
英霊いつまで直立不動炎天下　「俳壇」平成八年九月号
先づ手もて拭く顔の汗被爆者忌　〃　平成九年七月号

胸を一句一句が叩く。足元は過去の日本の過ちのなかにずぶずぶとめり込んでしまう。言葉を失う。それは三橋の俳句がイデオローグの平板に陥っていないから。それぞれが俳句という詩としての文学の成熟を遂げているからである。反戦俳句を知性からではなく、エロス的人間の足元から立ち上げ得た誠実にして独歩の句業を讃えたい。

緋縮緬噛み出す簞笥とはの秋　『眞神』昭和四十八年
鈴に入る玉こそよけれ春のくれ　〃

押しゆるむ真夏の古きあぶらゐのぐ　『巡禮』
純白の水泡(みなわ)を潜きとはに陥つ　〃
蛍火のほかはへびの目ねずみの目　『長濤』昭和五十七年
海に出てしばらく赤し雪解川　〃
海へ去る水はるかなり金魚玉　『疊の上』
累代の母恋しやな昼寝覚　〃

四句目の「純白の」は、戦友の青いエロスに捧げた美と無惨の渾然一体とした供物のような俳句である。自我による造型などではなく、エロスの地鳴りがする人類共通の地べたから戦争の非人道性を衝いたのである。

無頼と青天

三橋は西東三鬼のことを問われると、俳句のたんなる師弟関係とは次元の違う全人格的なものであったと答えた。三鬼には無頼性の魅力があったという。そこで「酔眼朦朧湯煙句会」に足を運んでくれたわけが、わたしにはやっと腹落ちしたのである。無頼は誤解されやすいが不良ではない。名利得失にたましいを売り渡さない精神の自由主義である。現代美術に身を賭す無頼漢たちが、俳句をただ無心に楽しみ高揚し合う場を三橋敏雄もこころから愛してくれていたのだ。

『三橋敏雄全句集』の最終頁にわたしは息を呑んだ。なんと、平賀敬さんへの悼句とみずからの辞世とが寄り添うように並んでいるではないか。

悼平賀画伯

満月の怺へがたなく入りしはや

平成十二年十一月十三日没、当夜満月

（辞世）

山に金太郎野に金次郎予は昼寝

三橋の俳句はいっさいの徒党性から切れて呼吸が大きい。自由である。それは〈累代の母恋しやな昼寝覚〉のはるかなエロス的時間軸をもち、八百万（やおよろず）の神々とともに〈絶滅のかの狼を連れ歩く〉狂おしい挑戦の連続であった。正義でも正論でもない、〈押しゆるむ真夏の古きあぶらゑのぐ〉のふかいアクメの底から戦争の愚昧と悲惨を照射したのだった。

戦争と畳の上の団扇かな

『畳の上』

俳句表現史に残る究竟（くっきょう）の戦争俳句である。畳にはらばい寝ころがり母の乳房をまさぐっていた平和な日常の肌ざわりがあった。蒸し暑い夏の夜になると、母は団扇を手に、やわらかな風をいつまでも送ってくれたものだ。とある日、馬蹄の金属音が高まり、軍靴が畳の縁（へり）を踏みにじり、ちゃぶ台の団欒を何もかも蹴散らかすまでは。

団扇はいま白い帆船となって宇宙風をはらみ、わたしたちとともにたましいの蒼海へ出港する。

Ⅵ　社会性俳句・巣箱から路地に　大牧広

「平凡の非凡」へ至る路地

大牧広は隅っこを生き切った俳人である。市井の路地裏こそが大道に通ずるのだという志をつらぬいた。

五十一歳の第一句集から七十三歳の第五句集に至るまで、はっきりいってしまおう。平凡である。それがなんとしたことか。喜寿を過ぎてから、みずからの地平をグイグイ押し拡げてゆく。過去の遺産で食いつなぐ老年期の表現者のよくある姿とは正反対だ。しかも自然体でりきみをみせない。これはいったい何なのか。高齢社会のわたしたちの指標かもしれない。おのれのピークまで、しっかりと杖をついて登り切った俳人の句業を一緒にみていきたい。

第六句集、その名も『冬の駅』で、大牧広は自身の文体をようやく確立し始める。七十八歳であった。

舌下錠夏草そよりともせぬに
うつとりとするほど花野広くなし

この喜寿過ぎのめざめに驚くナカレ。まだ序の口にすぎない。終齢幼虫は青い腹をふるわせ、もう一皮の脱皮を始める。作者がほんとうの大牧広になるのである。八十代になってから、俳諧自由のバッタの翅は大きな終焉にむかって羽ばたいてゆく。

大牧は、七十八歳での現代俳句協会賞の受賞を皮切りに、いままでの努力が世間的にもむくわれていった。八十三歳で上梓した第八句集『正眼』は、詩歌文学館賞、与謝蕪村賞、俳句四季特別賞と、かがやかしい栄誉に包まれた。が、浮き足立つことも満足することもなかった。第九句集『地平』では肺腑をさらにひろげ、最後の第十句集『朝の森』で俳人としての最高の栄誉、蛇笏賞にかがやく。授賞式は六月二十八日に予定されていた。

三月二十八日の受賞の決定に、わたしは駿河山中で、ひとごととは思えずほっと安堵していた。その矢先である。新聞の訃報記事に眼を疑った。四月二十日逝去、享年八十八歳とあるではないか。まさか。同時に栄光の死、ということばが胸をよぎった。でも、まぶたに浮かんでくるのは、二年前に現代俳句協会の総会でおみかけした地味なお姿ばかりだった。大広間の前面の壇上にはお歴々が居並んでいた。はるか後方、壁ぎわのわたしのいるパイプ椅子の並びに、杖をついた小柄な方が飄然と風のように座られた。それが大牧さんだと気づいたわたしに、「いいんですよ。わかっていますよ」というように、やさしいまなざしで小さくうなずいてくださった。

晩年の句集を通して尊敬していたが、現実では挨拶を軽く交わしただけで、いっぺんもお話ししたことがなかった。一度だけ留守中にお電話し、初めてなのに奥様と話が弾んでダべってしまった挙句、奥様がわが祖父母と同じ由比の産と知って、静岡弁でよろこび合った。ご夫妻がいかにかわいくじゃれあうように暮らしておられるかが電話口からも手に取るようにわかった。

「奥様のように幸せな方ってめずらしいですよ」

「もうちっと男前ならね」

ふたりで爆笑した。いや、大牧は男前を気取っていないだけ。

二〇一八年十二月、膵臓癌の宣告が下ったという。令嬢お二人は在宅医療で、これ以上は望むべくもない介護の手を尽くされた。最期に酸素が欲しくて入院した。十日間というもの、匙一杯の牛乳ものどを通らず、ペンも持てず、寝返りさえ打てなかった。それが、である。

「俳句のことで何かやり残したことあったかい」

亡くなる前日に問いかけられたという。

「蛇笏賞受賞第一作の依頼をまだやってないよ」

すると、三十句ほどの俳句をバーっと口に上せられたという。ほほを寄せ、次女の瀬衣子さんが一心に書き取った。

二人子のゐてこそ夏の夢平ら

ああ、五月五月なりけり鶏の声

『俳句』七月号収録の十二句である。息苦しかったであろうに、俳句の呼吸は正しい。「青柳」「ほととぎす」「桐の花」「鶏の声」——初夏の体感と聴覚に満ちた受賞特集にふさわしい彩りゆたかな句群が、意識の遠のくわずか数時間前の辞世であったと、誰が信じられよう。

大牧は終生、市井の片隅に生きる一市民として、正眼の構えを守り通したのである。隅っこ意識はエリート意識とは無縁のもの。そこに尽きせぬ味わいがある。先に、第五句集までは平凡、などとホザイてしまった。句集としてみれば、の話で、それぞれに掬すべき佳什がある。なかから隅っこ意識の躍如たる俳句を拾ってみよう。

甚平の滅びの色を着てみたし　第二句集『某日』

形代に唇あらば唇嚙みてゐし　〃

甚平のくつろぎではなく「滅びの色」を着たいという。洗い晒してやわらかくなった肌ざわりは涼風をまとうよう。そんな甚平にふさわしい気負いのない老年に五十代半ばにしてあこがれた。平凡に徹する清しい志を持したがゆえの晩成であったのだ。「形代に」の句は、穢をなすりつけられても、じっと耐える人形をおもいやる句である。共感は、ともに片隅を生きる凡人の素直な自覚から来るもの。親鸞の「罪悪甚重の凡夫」という宗教の自己懺悔とはちがう。

凡人の庶民は還暦を過ぎると、向こう三軒両隣どころか、路傍の鯛焼にさえ共感してしまう。

鯛焼は鯛焼同志ぬくめ合ふ　　第三句集『午後』

子門真人の流行歌「およげたいやきくん」は、大量生産大量消費時代の申し子だった。大牧の鯛焼は、もう泳がない。歌わない。新聞紙のなかで身を寄せ合ってぬくめ合う。ふっくらと餡こがつまったペーソスである。

つぎは一挙に八十代へとぼう。いっそうの片隅に。

熱燗やこの世の隅といふ一隅　　第八句集『正眼』

着ぶくれて震災画面に今も泣く　　〃

「熱燗や」はまさに隅っこ賛歌。場末の居酒屋の壁ぎわで熱い安酒に喉をうならせる。弱い者、虐げられる側につくまなこが一隅に座っている。「着ぶくれ」た老年の身は、東日本大震災の津波や放射能避難区域の難民をテレビでみて涙をにじませる。身を裂かれる共感は、昭和二十（一九四五）年三月十日の東京大空襲で、姉に手を引かれて焼死体の上を飛び越えながら逃げ惑った、あってはならない地獄の体験に裏打ちされていた。

作者はふだん使いの杖を地平線まで引きずって歩いた。度重なる栄誉に浴しても変節しなかった。このひとの句業に真っ先に捧げたいことばは「平凡の非凡」である。

身体化された社会性俳句

大牧は三十九歳で「沖」の能村登四郎に師事した。能村の『合掌部落』の風土詠は社会性俳句の代表とされたが、後年は抒情に赴いた。大牧は五十八歳で「港」を創刊主宰し、社会性俳句を詠み続けた。門弟に文明詠もなす仲寒蟬や、熱い人事句の衣川次郎を輩出した。

社会性俳句はいづこ巣箱朽ち　第八句集『正眼』
葉桜やベンチに非正規らしきひと　第九句集『地平』
やがて雪されど俳句は地平持つ　〃
秋の金魚ひらりひらりと貧富の差　第十句集『朝の森』

昭和三十年代に俳壇を賑わした社会性俳句は、作られた「巣箱」の鳥にすぎなかったのでは、とやんわりと風刺する。「葉桜」と「秋の金魚」はともに格差社会が広げる眼前の景である。信用金庫を堅実に勤め上げた作者は、おのが壮年期にはいなかった「非正規」の雇用者を憂えている。この間までの花ざかりはまぼろしであったといわんばかりの、黒々とした葉桜の下にいる若者を思いやらずにはいられない。いつの間にか広がった「貧富の差」を「秋の金魚」の尾ひれや胸鰭のひるがえる冷ややかさに感じとる。「ひらりひらりと」はストもデモもなく潜行する階級社会の手ざわりである。日本経済は衰退し、文学も俳句も、目にみえない搾取を告発する深い「興」の精神に裏付けられていても、真の俳句の土壌は玄々（くろぐろ）と新たな地平を拓くひとを待っている。状況は雪催いである。「やがて雪」に降り込められたとしても、後続世代へ渋いエールを送らずにはいられないのである。

大牧は終生、花鳥諷詠の雅び、という治外法権地帯に逃げこむことはなかった。現代社会を全身で受け止め、俳諧精神で打ち返そうとした。「どこかエリート臭があった戦後の社会性俳句は、大牧広によってふかく身体化されたといえるのではないか」（Ⅷ　現代俳句時評）という思いはいまも変わらない。時代の思潮に乗って、メディアでときめくのではなく、市井にあって生活に根ざした社会詠をまっとうした反骨の志を思う。

ええかっこしいでない老熟

老熟はきれいごとではない。実直な俳味があってこそ。

外套の重さは余命告ぐる重さ　　第九句集『地平』

凩や石積むやうに薬噛む　　〃

冬になった。長年愛用するオーバーに袖を通した途端、おっ、こんなに重かったのか。一年で歳をとったな。痩せさらばえた胸にボタンを掛けつつ、あと何度冬を越せるか思わずにはいられない。「凩や」は、さらに切実な老年の日常だ。ごはんを食べたらすぐくつろぎたいが、そうはいかない。服薬の時間だ。テーブルの上に、心臓やら胃の薬やら、降圧剤、痛み止めと、名前すら覚えきれない錠剤や薬袋をこんもり積み上げてゆく。部屋のなかで賽の河原の石積みをしているようだ。ここには老いの現実を全身で把握した平凡のつよさがある。大牧にとって老年とは、雑駁なものを洗いながし、現実を正眼でみつめ通す俳諧精神を砥ぎ続けることであった。

同時代の老境の俳人で大牧がもっとも尊敬していたのは西の雄、後藤比奈夫ではなかったろうか。その洒々落々の自在境は、生ける仙人のごときめでたさ、ふくよかさを湛える。反して大牧の俳境はあくまで無器用な東男。裸にひんむいても背中に羽一本生えていそうもない。だが両人は、表現者としての姿勢において斉しかった。「まっすぐに核心に触れてゆく詠法もあたたかい。つまり「上」から詠むのではなく、肩を組むようなあたたかい気持ちで核心に触れてゆく」（『俳句・その地平』文学の森、二〇一六年）と広が比奈夫を称揚する口吻には、自身の理想もおのずから透けてみえる。比奈夫は馥郁と艶冶な作家であり、広は下町の庶民の哀感とともにある実直の作家なのである。

冬麗は冬麗のまま暮れてゆく　第七句集『大森海岸』
草餅の蓬にもどりたき香り　〃
玉露ふくめば冬山のつまびらか　第八句集『正眼』
春夕焼うしろ姿は誰も持つ　〃
泥蛙の一生神に近くなる　第十句集『朝の森』

みずからを「花」のない性分と認めていた作者は、雪月花の風雅を詠むことはなかった。しかし、典雅も豊麗も超えたしんじつの花が老いの地平にたしかに咲いたのである。

Ⅶ　美への巡礼　　黒田杏子

プロローグ　気迫の謎へ

美に淫し、美に指嗾（しそう）されて野末に斃（たお）れるひとは多い。たまゆら、朝露に木槿（むくげ）がひらき、夜空に烏瓜の花が咲いたとしても。美神は魔神である。その双の乳房は、右の丘でひとをいざない、左の丘でひとをほろぼす。釈迢空（ちょうくう）は〈人も　馬も　道ゆきつかれ死にゝけり。旅寝かさなるほどのかそけさ〉と歌った。黒田杏子は例外である。傘寿まで半世紀にわたって豊麗な句境をうち立ててきた。既刊六句集をひもとけば、たっぷりと花の山を逍遥し、翡翠のしぶきを浴びることになる。

東京本郷の開業医の家に生まれ、〈盆の月父に愛され母に愛され〉と、理想的な家庭で健康優良児として育った娘が、いかにして野太い気息をもつに至ったのか。肺腑の大きな句境を拓くことができたのか。楽しみな謎解きが待っている。

天地には四神が、楼観には四柱がある。これから杏子ワールドの四神相応図を、東から、南、西、北へ、時計回りに尋ねよう。その縹(はなだ)いろの堂宇を探るために。

善財童子の旅（東方・青）

作者の奔放自在な作ゆきはいったいどこから来るのだろう。そう考えると、おかっぱ頭の風貌ではないが、いきいきした童心に思い当たる。杏子の芯には、ぱっちりと眸を開けた善財童子が棲んでいそうだ。『華厳経』「入法界品(にゅうほっかいぼん)」の主人公、善財童子は、五十三人の善知識の胸ふところに次々にとびこんで壮大な求法の旅をする。いまでいう巡礼である。

じっさい作者は、博報堂の『広告』編集長という勤めの合間を縫って、また定年後も、季語の現場を精力的に歩き続けた。日本列島桜花・残花巡礼、西国三十三観音霊場吟行、四国八十八ヶ所札所吟行、坂東三十三観音、秩父三十四観音吟行、さらにはインド、中国にも足を運んだ。こうした行動力の原点はどこにあるのだろうか。

「俳句の基本は観察、オブサベーション……」
私はとび上がらんばかりに驚いた。田舎の句会では英語が出てくることなどあり得なかった。
こういうふうに俳句という文芸の本質が明快に語られることもなかった。（中略）
その日、私は俳人になろうと決心した。正確には俳句作家になろうと。（中略）

私はこの日、山口青邨という俳人に帰依した。そして、明治の雪と詠みあげた外套の句の作者である俳人の知性を誇りに思った。

（『布の歳時記』白水社、二〇〇三年）

巡礼の起点となった春の一日が印象深くしるされている。東京女子大に入学したばかり。十八歳であった。すでに生涯を貫く二つのキーワードをここでみずから語っている。「観察」は童心を失わない濁りないまなざし。「知性」は社会・歴史認識を磨く智慧である。無垢のまなざしに明澄な認識をたずさえるこの姿勢は、杏子の俳句にいっぽんの芯を通していった。

作者は卒業・就職を機にいったん俳句を中断し、表現の場を求めて演劇や陶芸や染織など、青春期特有の彷徨をする。が、三十を前に、再び山口青邨の門を叩く。俳句を一生の表現手段と定め、青邨を生涯の師とするのである。では、その青邨（明治二十五〔一八九二〕～昭和六十三〔一九八八〕）の名句を振り返ってみよう。

祖母山（そぼさん）も傾山（かたむくさん）も夕立かな

人それぞれ書を読んでゐる良夜かな

みちのくの雪深ければ雪女郎

菊咲けり陶淵明の菊咲けり

たんぽゝや長江濁るとこしなへ
外套の裏は緋なりき明治の雪
白梅を怒濤と見れば日暮れたり
こほろぎのこの一徹の貌を見よ
きしきしと牡丹莟をゆるめつつ

不易の句である。明知に天雅の添う句品の底に、いぶし銀の人間性が横たわっている。この青邨に五十歳まで導かれた杏子は、師からなにを受け継ぎ、師とは別個のいかなる句境を拓いていったか。それをみていきたい。

青邨に再入門したあと、「夏草」に投句したほぼ十年間の作品から自選した第一句集『木の椅子』は、現代俳句女流賞と俳人協会新人賞の二冠にかがやいた。四十二歳で、新しい才能の登場を印象づけたのである。

はにわ乾くすみれに触れてきし風に　『木の椅子』

かぐわしい春草の野に置かれた埴輪の肌が、雨上がりの風に半乾きになってゆく。すみれに触れてきたのは、そよ風のみならず、古墳あとの野を胸ときめかせて歩いてきた作者の透きとおる思いである。うぶな春風の感触と、「はにわ」と「すみれ」のひらがなのやわらかさは、読み手を一挙に古墳時代の空に誘う。春田の向こうから、白い貫頭衣の女がすみれ色の風とともにやってくる。「もう乾いたかしら」。きのうから紐作りをはじめ、今朝わがてのひらに眼（まなこ）をもって起ち上がった埴輪の乾き具合をみにくるのである。ねっとりした茜色の埴土（はにつち）が樺色の肌に乾いてゆく昼に、野遊びの空がかさなる。二千年の時を早春の日差しがあそぶ。

夕櫻藍甕くらく藍激す

『木の椅子』

ぎっしりした漢字表記が、藍甕（あいがめ）に充満し発酵する藍草を眼前させる。夕櫻と藍甕を隔てるものは木戸一枚。庭桜はまだたっぷりとひかりを溜め、土間の藍甕はすでに夜よりも濃い闇の色だ。藍液は、藍の葉を発酵させたすくもに、木灰の灰汁を混ぜて還元発酵させる。この布を染め上げるスタンバイ状態を「建つ」という。それを作者は「激す」と感受した。芭蕉のいう「もののみえたるひかり」である。万物の根源を思わせる藍の泡は、やがて作者が「藍生」を主宰する日を祝い、列島すみずみへの行脚の歳月を見守るだろう。みなぎるいのちが湧き建っている。

飛ぶやうに秋の遍路のきたりけり

『花下草上』

五十九歳作。「遍路」は通常は農閑期に行うことから春の季語となっている。「秋の遍路」は、つるべ落としの日をいそぐ。句頭の「飛ぶやうに」で、一瞬、翅を持つ生きものを幻視させられる。秋の遍路とわかったとたん、ほっそりとした白装束の木綿の裾が浜辺の秋風にひるがえる。残像として、蜻蛉やばったが風にあおられる翅のやつれた気配がただよう。身一つで歩む秋の巡礼は、その背に、数かぎりない生類のあわれを背負っていよう。秋遍路と還暦を前にした作者が一体になった口誦性に富む句である。

竹馬の少女も月の往還へ　『銀河山河』

昭和十九（一九四四）年の秋、六歳で東京の本郷から栃木県の黒羽に疎開した作者は、翌春、南那須村にある父の生家に引っ越し、小学校時代を那須野ヶ原のゆたかな自然のなかで過ごした。歳時記にふれないうちに、季語の仔細（しさい）を、心身まるごと体験したのである。その一つが竹馬だった。驚くことに、この活発な女の子は、地上一尺からはじめ、なんと納屋の屋根の端によりかかって休むまでになったという。「毎日青竹がしなうほどの高いところに足を置いて、ゆらゆらと往還をあるいてはまた屋敷内に戻り、新しい敷藁の上にとび降り」たそうな。空き缶をひっくり返した缶馬でよろこんでいたドンくさい筆者からすれば、天上界の闊歩である。ゆうゆうたる歩幅の感覚は生涯消えるはずがない。

掲句は七十四歳の作である。すでに一生のおおかたの巡礼は済んだ。愛情深く自分を育んでくれた父母も兄も、見守っていてくれた周囲の大人たちもとうにいない。青竹を両手に握って屋敷の外まで冒険した日々が鮮烈なだけに、みんないなくなった路上のこの月の澄みようときたら。振り分け髪の少女が、一挙にしらじらとした月光の往還に佇む。死の予兆のみずみずしさにおいて比類ない俳句である。生から死へ。ひとの世の時間のあっけなさを痛切に味わわせる。

杏子は地勢的な山河のみならず、同時代の異才にも巡礼を重ねた。俳壇を超えて広く文化人と交流し、度量をひろげた。マルタン・デュ・ガール、暉峻康隆、篠田桃紅、堀文子、鶴見和子、金子兜太、石垣りん、谷川健一、瀬戸内寂聴、榊莫山、石牟礼道子、小沢昭一、小田実、永六輔、天野祐吉、佐佐木幸綱、等々。かの善財童子を鼓舞した『華厳経』の一節がわたしの耳元に聞こえてくる。

勇猛(ゆうみょう)自在に偏(あまね)く十方に遊びて善知識(ぜんちしき)を求めよ。身(しん)を知り行(ぎょう)を知ること、夢(む)の如く電の如くにして善知識に詣でよ。(中略)……一切の善知識をして心大いに歓悦せしめよ。

(『国訳大方広仏華厳経　入法界品』国民文庫刊行会、一九一七年)

作者は、「子どものときから人との出会いに恵まれてきた」と、おりふしに感謝を書き綴った。しかし、「夢(む)の如く電の如」き華麗な交流は、出会った相手もまた喜ばせたにちがいない。童子の直心の精進力はまわりの者を励ます。

涅槃図やしづかにおろす旅鞄　『木の椅子』
辣韮を漬けてころりと睡りけり　『水の扉』
白玉のひかりゆつくりいそぎたし　『花下草上』
風鈴をはじめて聴いたときいくつ　『銀河山河』
ちちははの庭のおほきな焚火跡　〃
追はれないもう走らない山笑ふ　〃

巡礼の童心がトクトクと脈打ち、こちらの胸まで明るませてくれる句群である。

十一面観音の情（南方・赤）

巡礼の童子は情が深い。作者は、「三丁目の夕日」に足りるサンダル履きの情緒派でも、ナチュラリストを気取る小品画家でもない。「私の布好きは、この防空頭巾の布の手ざわりから」始まっているといい、木綿や絹の手織りの布を愛し、化繊はいっさい身につけなかった。行動は華麗だが、本質は素朴である。

人を焼くほのほがたたく冬の河　『水の扉』

「インド・ベナーレス」の前書がつく十句の一つ。四十三歳作。ガンジス河のほとりで、落日を見、日の出をみる。沐浴する老若男女や、洗濯するもののそばで、死体を焼く火があかあかと上がる。「人を焼くほのほ」に乗りうつるのは、死したインド人の思いである。生きて愛したよろこびと苦しみ。冬の大河を荼毘の炎が赤い舌となってたたく。火にうめき曲がる骸。肉が炭素になってゆく臭い。涙さしぐむいとまもなく冬靄が立ちこめる。生きる悲喜こもごもは灰に帰す。「たたく」の切れの沈黙に、情がこもる。ガンジスもまた黙然と聖者のように滔々と逝くのである。

あたたかにいつかひとりとなるふたり　『花下草上』

五十八歳作。夫婦は偕老のちぎりをかわしても、どちらかが先に死ぬ。世の定めとはいえ、仲が良ければ良いほどその日は恐ろしい。それを「あたたかに」ひとりとなると予言する。なぜ「身にしむや」「夜寒さの」「うそ寒く」など、さびしい秋の季語ではないのか。満ち足りた春の季語なのか。そこに平易な措辞の非凡がある。

この季語は技巧で斡旋できるものではない。理解しあい、互いの存在をかけがえのないものと尊び、いいのこし、尽くしのこすことがもはやない。そこまでふたりは行く。伴侶へのこれ以上の愛のことばはないであろう。

第一句集から杏子は〈暗室の男のために秋刀魚焼く〉と、写真家の夫をいとおしんできた。写真家の本質もひとことでいえば明察である。同志としての思いは、〈扶養せずされず天心除夜の月〉と、互いに経済的にも自立した男女平等の愛を謳う一方で、〈奥さんと呼ばるる夕顔の咲いて〉と、かわいい顔もみせる。

あさがほの縹一輪ふたり棲む

『銀河山河』

七十代を迎えた夫婦詠である。「縹」に清秋の夜が明ける。この色は、平安時代の『延喜式』によれば、種々のブルー系のなかでも、純粋な藍だけで染められるただ一つの色という。他のブルーは、黄蘗や刈安が掛けられ、やや緑がかるという。まじりけのない藍から出た縹色の朝顔の涼しいぬくもりは、終生いつくしんだ「木綿往生」ということばを体現していよう。

夫君をうたった俳句は、すべての句集にあり、どれも清冽な泉にふれる思いがする。幸せを詠んで甘くならないいぶし銀の味わいは、青邨の衣鉢を継ぐものであろう。

たつぷりと生きよ旅人初しぐれ

『銀河山河』

初冬の句。芭蕉の『猿蓑』巻頭句〈初しぐれ猿も小蓑をほしげ也〉や、『笈の小文』にある〈旅人と我名よばれん初しぐれ〉を本歌とし、広やかな乾坤へ跳躍した。芭蕉の句が、古歌の時雨の持つわびしさやさびしさから離れて「猿に小蓑を着せたい」と、俳諧の滑稽をにじませ、あるいは古歌の漂泊の風雅に順じようとしたのに比して、杏子は「初しぐれ」のもつ無常観を、生きる積極さへ転じてみせた。芭蕉の風狂の陰(いん)の風雅を、地に足つけた陽(よう)へ転じたといってもいい。一度の人生をこせこせしないで「たつぷりと」肺活量大きく生きよと励ます。句のおおらかさを裏打ちしているのは、聡明な両親のもとでたつぷりと愛された幸せな少女である。淡墨の初しぐれに、墨痕淋漓(ぼっこんりんり)たる己が生をほとばしらせ、数かぎりない同胞(はらから)に、うまのはなむけをするのである。

裏話になるが、わたしはこの節題を、いったん「悲母観音」とし、逡巡の末に「十一面観音の情」とした。なぜなら杏子の俳句は、ジェンダーよりも深いところから湧いているからである。

七部集七夜をかけて虫に読む　『木の椅子』

たれかれに供へて熱きぬかご飯　『一木一草』

雪嶺やひとのこころにわれ映り　『花下草上』

花冷や父に一献母に一燭　〃

十月二十八日　わが師古舘曹人大兄長逝…晩年は居所も明かされなかった。九十歳　八句を捧ぐ

時雨聞くやうにまなぶた閉ぢられしか　『銀河山河』

感覚の豊麗（西方・白）

小春日やりんりんと鳴る耳環欲し　『木の椅子』

青邨に称揚された三十九歳の作。調べは残響し、澄みわたる。「耳環欲し」は、しゃれたイヤリングが欲しい、という甘えではない。精神の箍（たが）としての耳環であろう。初冬にさずかる玉のような小春日和は、冬の厳しさを歩き抜く糧になる。りんりんと鳴る金の環のイメージは、耳たぶより、冬麗の大空にこそふさわしい。幻の耳環にみちびかれて、凍てつく山河、霜の日々を乗り越えてゆくこころの構えである。

白葱のひかりの棒をいま刻む　『木の椅子』

同じく三十九歳作。俎板に白葱を乗せて刻む。大正初期に虚子が唱導した「台所俳句」と素材は何ら変わらない。虚子の募った厨俳句は、主婦が季題を求めて家を留守にしなくても、鍋・俎板・包丁・芋などを材料に、いくらでも俳句が詠めるというものであった。そこから女流俳句が盛んになったのも事実。が、掲句はどうか。阿部みどり女の〈大樽に糸瓜つけあり水澄める〉、中村汀女の〈秋雨の瓦斯が飛びつく燐寸かな〉、といった句とはちがう。地平軸の転換が果たされている。

この白葱は、夕食の鍋の薬味でありつつ宇宙に開かれている。目にみえない時間が、一本の真っ白な太葱として俎板に横たわる。ひかりの断面はそのまま清冽な「時」の断面である。忙しい冬の朝、熱い味噌汁のために刻む葱。包丁のリズミカルな音と匂いがはじける。そこにかざりけない簡明の美が立ち上がる。

狐火をみて命日を遊びけり

『一木一草』

この句についてふれた作者のエッセイがある。

惜しみなく働き、十全に生きて、那須の山墓に眠る父。ふるさとの土に還った父を想うと、私はうっとりするような心地になるのだ。

(『布の歳時記』)

ひとが墓に眠る父を思えば、温かくなつかしい、さびしくいたわしい、悲しい、のいずれかではなかろうか。「うっとりする」とは聞いたことがない。なんと独特な境涯であろうか。わたしには、杏子の独自性の根がここにひそんでいるように思えてならない。

人間には大まかにいって対照的な二通りの生き方があるのではないか。わたしはひそかに若年のときからそう思ってきた。一つは「なすべきことはみななしつ」と、入寂した釈尊の生涯を範とする生き方。いま一つは「見るべきほどのことは見つ」と、壇ノ浦で入水した平知盛のような見者(ボワイヤン)としての生き方である。日本の近現代の多くの知識人たちは、知盛の最期を知的で垢抜けたものとして一種の憧憬とともに語ってきた。しかしそこには、知的認識を感情や生活の上位概念とする近代の病がひそんでいなかっただろうか。杏子の眼中に、わけしり顔の人生はない。「惜しみなく働き、十全に生きて」土に還る。なすべきことはなす。完全燃焼する生き方しかないことを、機根ゆたかな父母兄弟にはぐくまれて、自然に体得したのであろう。

それにしてもこの句は読み返すほどに妖しい。「狐火をみて」の切れの余白に、狐火がなまなまとひそみゆらぐ。われひととともに狐火自身が、命日に遊びたわむれるふしぎな世界である。

六波羅や念佛あをき雪ぼたる　『銀河山河』

以前草した拙文を引く。

空海の裸形螢火まとひけり　『花下草上』

真言密教の宗祖、空海の裸身に明滅する螢火は日本画の名品をみるようだ。だが近作の「六波羅や」が象徴する空也上人や、その奥に連想される平家の滅亡に至る雪ぼたるは、もはや絵に置き換えることはできない。南無阿弥陀佛は「あをき雪ぼたる」となって六波羅の妖しい空間に彷徨いだす。絵画すら超えた神秘である。詩想が先行句よりはるかに深化し大きくなっていることがわかる。

（「藍生」二〇一四年七月号）

杏子俳句の時熟を、空也上人像と平家滅亡の観点から鑑賞したのであった。が、「六波羅」のことばの井戸はさらに深い。六波羅蜜寺や六波羅探題という京都市の松原町付近の地名のもとは、大乗仏教の修行法である六波羅蜜（布施・持戒・忍辱・精進・禅定・智慧）から来ている。波羅蜜（パーラミター）は到彼岸と最上とを意味する。

ことばに熏習したもろもろの意味やニュアンスを思想家、井筒俊彦は「言語阿頼耶識（あらやしき）」と名付けた。六波羅ということばに雪のように降り積もった言語阿頼耶識は、色彩なら濃絵漆（だみえうるし）にたとえられよう。六波羅蜜の修行のかなわぬ罪障深重（ざいしょうじんじゅう）の凡夫の自覚は、最後のたのみに念仏をとなえる。「なむあみだぶつ」。七音の名号は、日本の歴史のなかで、貴族社会が欲望のうごめきに崩れてゆく濃絵のような厚みを、室町期の幽暗へ溶けこませてゆく。しじまに雪螢の蒼白いひかりがぼうっとにじむ。妖しい色彩感と独特の手ざわりを持つ豊饒な句である。ことばとぶあつい現実とが輻輳（ふくそう）してまわる幻視の車輪。

作者の独自性は、現実が幻視と接する境にある。それは荒野の果てで「稲妻の緑釉を浴」びるかの美の衝撃である。H・フォシヨンは『形の生命』で、芸術とは出来事であり、いわば突然にこの世に出現するものであるといった。たとえばこんなふうに。

稲妻の緑釉を浴ぶ野の果に　『木の椅子』
能面のくだけて月の港かな　『一木一草』
いちじくを割るむらさきの母を割る　『花下草上』
夜の谷をくるはなびらの記憶かな　〃
玉蟲を巡礼の野に還しけり　『日光月光』
眼の奥に棲む狐火も年を経たり　『銀河山河』

立句の胆力（北方・黒）

ようやく四神相応図の北端に至った。すべては北極星のまわりを回る。では杏子の北辰とは何か。じっさいの俳句に問うことにしよう。

十二支みな闇に逃げこむ走馬燈　『木の椅子』

処女句集の巻頭句である。まず、三十代前半のうら若い女性の作であることに驚かされる。走馬燈はなかに灯がともり、鳥獣や草花などの切り絵の影が回る仕掛けの灯籠である。夏の風物詩だが、いまはめっきりみる機会が減った。その昔、中学の先生に、「走馬灯のように思い出しますは、下手な作文の見本ですから使わないように」と注意されたのもなつかしい思い出だ。ところが、掲句は思い出などというセンチメントとは縁がない。第一の手柄は、走馬燈の影絵の兎や馬を「十二支」と、端的に省略してみせたこと。第二は、絵柄が眼の前の曲面から向こうへ走り去るさまを「みな闇に逃げこむ」と意表を衝く表現をしたこと。スピード感のある把握によって、まわる影絵にたちまち歳月の肌ざわりが宿った。過去・現在・未来がくっきりとかたちを刻んで濃い夏の闇に消えゆく。これは一炊の夢だろうか。十二支の影が数回まわれば六十年が経ってしまう。野を駈けるけものの逃げ足と、呑み込む夏の闇の豊饒の美は、そのままこの世の時間の恐ろしさである。第一句集にして、肝の据わり方はただものではなかった。

稲光一遍上人徒跣(かちはだし)　　『一木一草』

八文字の漢字がそのまま閃光の大空間になっている。稲光は秋の季語で、夏の雷とは別趣の凄涼感がある。一遍上人は鎌倉中期の僧で時宗の開祖。捨聖(すてひじり)ともよばれ、寺院にも教学にも依存せず、身一つで踊り念仏をひろめた。生地松山市の宝厳寺の一遍忌に、作者は参詣を重ねて来た。日本の仏教者のなかで、もっともこころを寄せてきた僧という。

ポテンシャルの高さは韻律にある。初句末句とも母音はA音、I音のみの構成で、中句にもI音が三つ。そこに澄んだ子音Kの開放音が一打ずつ。メリハリの利いたリズムから、歩きつつ跣で踊り狂う一遍上人が雷光に顕われ出る。『一遍上人語録』には「千秋万歳おくれども　たゞ電（いなづま）のあひだなり」という忘れがたいことばがある。この世の生はいなづまの閃光が虚空を染めるたまゆら。ならば念仏申して踊るのみ。杏子ならではの表現の突破力は座五の「徒跣（かちはだし）」である。白い素足、跣が閃光にくっきりと浮かび上がる。同語録には「我体（わがたい）を捨て南無阿弥陀仏と独一（どくいつ）なるを一心不乱といふなり」もある。踊り念仏に官能が露頭する妖しい一面である。法悦といってもいい。日本人の他力信仰を瞬時に照らし出す胆力ある俳句である。

たとえば森澄雄は同じ一遍をこう詠んだ。

　平生を臨終とせる遊行の忌　　　澄雄

澄雄の句は知的理解にとどまり、手足が冷たい。杏子句は丹田から発し、切れば血がほとばしる。
一方、橋本多佳子も同季語「稲光」に代表句をもつ。比べると、個性が際立つ。

　いなびかり北よりすれば北を見る　　　多佳子

稲妻に蛾眉を上げる女性が浮かぶ。名句といわれ、句碑にもなっているが、美貌の俳人という前提があるからこそ成りたつ俳句ではなかろうか。男がおなじ句を詠んだら「ばっかじゃないの」といわれそうだ。けなげで意志的な蛾眉に、男性の目を意識した自意識、すなわち裏返された媚態がひそんでいるといったらいいすぎだろうか。

では、ここで黒田杏子の俳句表現史上の位置を考えてみよう。明治生まれの多佳子を始めとする四T（中村汀女・星野立子・橋本多佳子・三橋鷹女）と、彼女らのいわば先生筋にあたる杉田久女を大摑みながら比べてみよう。五人のなかで、豊潤な美の感性においては、久女に近いものがあろう。しかし時代の制約もあり、〈朝顔や濁り初めたる市の空〉〈谺して山ほととぎすほしいまま〉など、ジェンダーの壁を破り得た大柄な句はわずかであり、久女の本質は女歌であった。汀女は入母屋造の深い廂を思わせる日本の母。多佳子は才色兼備の大物舞台女優。鷹女は破壊力目覚ましい女性ロックンローラー。立子はおおらかな天然お嬢様。では時代をずっと下り、昭和に活躍のピークがあった大物俳人、桂信子、鷲谷七菜子、岡本眸はどうだろう。信子は、女盛りの性的妖艶と晩年の枯淡の境地というアシンメトリーが際立つ二極俳人。七菜子は異界の気配に敏感な﨟長けた巫女。眸は誠実に旦暮をうたうふくよかな心根の女性。こうしてみると、いずれもみな女性性に根ざした俳人といえそうだ。言い換えれば、そこにこそ明治以降の女流俳句の結実があったのである。妻として、母として、あるいはその喪失体験を詠ったジェンダー俳句であったと、くくることができよう。

ところが、黒田杏子の俳句は男性の眼を意識しない。社会人としても家庭人としても男性に依存しない自立した立場から詠まれている。しかも、「生涯の女書生」であろうとした。もしかしたら黒田杏子は「女流時代〝以後〟」の作家として俳句表現史に刻まれるのではないか。「金(こがね)を打ち延べたる様」な俳句はどれもジェンダーフリーである。

磨崖佛おほむらさきを放ちけり　『木の椅子』
天壇やこの秋風を聴きにきし　『花下草上』

大陸的な胆力は、生涯のテーマをなす花の句にも新たな地平を拓いていった。あまたの花の秀句から極めつきの六句を挙げたい。七十五歳で刊行した句集からわたしは四句をいただく。齢とともに時熟する俳人こそ、真の俳人といえよう。

花に問へ奥千本の花に問へ　『一木一草』
どの谷のいづれの花となく舞へる　『日光月光』
花巡るこの世かの世をなつかしみ　『銀河山河』
くわんおんの湖の北へと花見舟　〃
みちのくの花待つ銀河山河かな　〃
心経一巻奉る瀧櫻　〃

ところで、花の詩歌といえば、すぐに花の歌人西行が思われよう。

よし野山こずゑの花を見し日より心は身にもそはずなりにき
木のもとの花に今宵は埋もれてあかぬ梢を思ひあかさん

西行の花の句を一貫して流れているのは、非在への憧憬。ここにいないものにあこがれるこころと身体の分離と相剋の懊悩である。そうした葛藤は杏子にはない。どれも墨痕淋漓たる禅僧の一行書のような骨太さと、雄勁な気息をもつ。

ひるがえってみれば、美といのちが一体となった豊饒感は、師、青邨の〈きしきしと牡丹莟をゆるめつつ〉にみられるくきやかな再現性の美を凌ぐ。美の乾坤を支える胆力は杏子に軍配が上がるだろう。

一句目の「花に問へ」は、ひともとの花の木を浮かび上がらせ、ついで肺腑の底から出る大きな呼吸で、吉野の奥千本の花の空間へ読み手を一気に拉(らっ)し去る。畳みかける「問へ」の命令形に気迫がこもる。胸に打ち込まれる衝撃は、もののあわれの美を超える。芭蕉が慕った西行の隠棲した吉野。下、中、上千本を訪ねる朗々たる念(おも)いは、日本詩歌の花の新地平から一歩を踏み出していよう。

「どの谷の」は、かぎりない谷間から花ふぶきが涌き上がる。舞い上がる花びらのひとひらひとひらに、この世に生まれては死にゆく一人ひとりの俤(おもかげ)がやどり、やがて消えゆく。長大な幻燈をみるようだ。伝統美につながりつつ、あわれをひろやかな宇宙的スケールに開放している。

遠望から一転して、花に噎せつつ「花巡る」の句を味わおう。ここに至るまでに作者はどれほど巡礼を繰り返してきたことだろう。〈たそがれてあふれてしだれざくらかな〉〈空をゆく花びら五十寂しきか〉〈はきよせてゆくはなびらも走りけり〉そして、〈花巡る一生のわれをなつかしみ〉〈花巡る歳月われに盡きしこと〉と、数々の秀句をたたむ山河があった。いまや現し世のひとも冥界のひとも斉しくなつかしい。が、そこに立ち止まることはない。「なつかしみ」という連用形止めは、みずからが花の香りになるまで巡り続けようとする。

「くわんおんの」は、湖北にいます十一面観音、渡岸寺へとあこがれゆく花見舟であろうか。「湖の北へと」が、琵琶湖の茫洋とした春景をわずか七音でまぼろしのように顕ち上げる。たましいの北をさす旅は、花のかおることほぎのなかにある。南宋の山水画さながら古格ある美の乾坤である。

「みちのくの」は、東日本大震災の翌年の詠草。格調の高さは震災詠の白眉である。銀河山河のサンガに、釈尊がいとなんだ僧伽、修行者たちの精舎が掛詞となって、ぬくもりを伝える。渦巻銀河の下で、発願の和合衆が傷つき破れた山河の花を待っている。ここにも十一面観音の情は匂う。

玄奘訳の「心経一巻」は二六二字に凝縮された空の教えで、昔から在家者にも親しまれてきた。ちょうどミレニアムの頃、わたしも、冬河原からあどけない小石たちを拾って、般若心経を一字ずつ墨書したものだ。母の骨壺をおさめる墓のかろうとに敷きつめるために。杏子は写経を仏前ではなく瀧櫻に奉納する。福島の三春の瀧櫻と色即是空は斉しくなごみあう。東日本大震災であえなく亡くなった人々の、いのちの現前として咲き誇る花。桜はもはや、はらはらと散る嘆きの対象ではない。こうしてひそかに花の地平は拡げられていたのである。

杏子は少女時代、那須野ヶ原の自然のなかで、季語の薫香を一身に焚きしめた。高原の端正で奥ゆかしい農事を柱とする暮らしと、天衣無縫の資質とが相俟って、おおらかな風韻をつくったのである。

それは小細工を弄さない。バットの真芯の快音。日盛りの弓道場で的の心を射抜く矢。そうした大柄な俳句である。

なぜ美の豊饒と胆力が許されたかを最後に考えたい。俳句をやる人間に、これはわるくない問いだ。

やや唐突だが、一つには数奇者にならなかったことがあるのではないか。俳句数奇者とは繊細な審美眼でものを蒐め、取り合わせるディレッタントである。おおかたの俳人は小ぎれいな情趣に足をすくわれる。過去の遺産や、巨匠の詠み残した隙間をひろい蒐め、器用にパッチワークして満足するのである。こうした洒々落々とした知性のきらめきと、真のクリエイティビティは別ものである。あらゆる芸術は従来の型への挑戦であり破壊であるから。

たぶん作者は最初から枠を越境することを身上としてきたのだろう。芭蕉は「詩歌連俳はともに風雅也。上三のものは余す所もその余す所まで俳はいたらずと云所なし」（『三冊子』）といった。それはどこにも結界のない広莫（こうばく）の野の逍遥遊である。

なつかしい蕪村の句が思い出される。

菜の花や月は東に日は西に

この菜の花畑を、ゆたかな伝統をもつ日本文化になぞらえてみよう。のぼる月と、しずむ日を何にたとえればいいか。太陽を追いかけて上る月は数奇者、地平線に明日をさがしにゆく日輪は巡礼のようだ。数奇者は身のまわりに過去の美を蒐集し、取り合わせて味わう。片や、巡礼は、果てしなく限りないものを祈り、自己を不断に明日へと投企してゆく。その美は、すでにあったものではない。未来のひとの幸せを願い、菜の花の地平線を広げる。気息と濃やかな情をもって胆力ある乾坤を創り出した黒田杏子は、いのちの美に憑かれた巡礼である。

黒田杏子五十一句　恩田侑布子選

（既刊句集『木の椅子』『水の扉』『一木一草』『花下草上』『日光月光』『銀河山河』より）

『木の椅子』一九八一年、四十二歳刊より

十二支みな闇に逃げこむ走馬燈
稲妻の緑釉を浴ぶ野の果に
はにわ乾くすみれに触れてきし風に
夕櫻藍甕くらく藍激す
小春日やりんりんと鳴る耳環欲し
白葱のひかりの棒をいま刻む
涅槃図やしづかにおろす旅鞄
磨崖佛おほむらさきを放ちけり

『水の扉』一九八三年、四十五歳刊より

人を焼くほのほがたたく冬の河
縄とびの子が戸隠山へひるがへる
辣韮を漬けてころりと睡りけり

『一木一草』一九九五年、五十六歳刊より

秋つばめ包（パオ）のひとつに赤ん坊
能面のくだけて月の港かな
まつくらな那須野ヶ原の鉦叩
稲光一遍上人徒跣（かちはだし）
ガンジスに身を沈めたる初日かな
狐火をみて命日を遊びけり
呪師（しゅし）跳んで春星満ちてをりしこと
花に問へ奥千本の花に問へ

『花下草上』二〇〇五年、六十七歳刊より

あたたかにいつかひとりとなるふたり
天壇やこの秋風を聴きにきし
ねぶた来る闇の記憶の無盡蔵
飛ぶやうに秋の遍路のきたりけり
花巡る一生（ひとよ）のわれをなつかしみ

冬麗のたれにも逢はぬところまで
雪嶺やひとのこころにわれ映り
いちじくを割るむらさきの母を割る
白玉のひかりゆつくりいそぎたし
枯れてゆくひかり枯れきつてゆくちから
花冷や父に一献母に一燭

高野山常楽会に参ず　九句

涅槃図をあふるる月のひかりかな

『日光月光』二〇一〇年、七十二歳刊より

花満ちてゆく鈴の音の湧くやうに
日光月光すずしさの杖いつぽん
どの谷のいづれの花となく舞へる
玉蟲を巡礼の野に還しけり
十六夜の雲割つて飛ぶ一遍忌

『銀河山河』二〇一三年、七十五歳刊より

あさがほの縹一輪ふたり棲む

十月二十八日　わが師古舘曹人大兄長逝…晩年は居所も明かされなかった。九十歳　八句を捧ぐ

ひとつづつ捨てて最期の露の玉

一月七日羽黒山行　十四句

走り去る一瞬雪をんなぬくし
風鈴をはじめて聴いたときいくつ
落款をひとつふやして月祀る
六波羅や念佛あをき雪ぼたる
ちちははの庭のおほきな焚火跡
花巡るこの世かの世をなつかしみ
くわんおんの湖の北へと花見舟
白粥のひかり冬櫻のひかり
みちのくの花待つ銀河山河かな
たつぷりと生きよ旅人初しぐれ
竹馬の少女も月の往還へ
裏木戸開く真珠庵十三夜
心経一巻奉る瀧櫻

Ⅷ　現代俳句時評

近代の光と闇　正岡子規『獺祭書屋俳話・芭蕉雑談』

二〇一七年に子規生誕百五十年を迎えた。勉強家だった子規は、礼賛よりも議論百出を望むだろう。折しも、子規二十六歳の処女評論『獺祭書屋俳話・芭蕉雑談』が岩波文庫になった（二〇一六年）。復本一郎の注解が懇切。

快刀乱麻の書である。切って捨てるのは俗・厭味・理屈・陳腐・たるみ。つまり俗宗匠たちの月並流。この切り伏せ方を痛快とみるか、勇み足とみるか。いずれにしても明治半ば、俳句の世直しは同書から始まったのである。

「文学美術は高尚優美を主とするものなり」と打ち出す。俳句を文学や芸術と同一の地平に据える大局観が小気味よい。

一方で「俳句は已に尽きたり」ときわどいこともいってのける。根拠は巧拙を競うのみで、俳人に新思想がないこと。その思いが友人の中村不折を介して、洋画の写生をみずからの俳句に採り入れる「写生説」の契機となったのは面白い。しかし、残念なことに子規は、雪舟や若冲らが中国画を咀嚼して突き抜けた東洋本来の写生を取り入れるところまではいけなかった。いや、それは正確ないい方ではなかろう。〈糸瓜咲て痰のつまりし仏かな〉で、初めて東洋の写生に食い入ったのだ。即ちそれが絶命であった。こうして、近代の闇は現代にまで及ぶのである。

死までまだ九年ある若者は芭蕉を「雄渾豪壮」と称揚しながら、平々凡々なたるみの句として、次の句を蹴とばす。

あかあかと日はつれなくも秋の風

西日に苛まれる残暑の野。どこかにしのびやかな秋風の気配。夏と秋のゆき合いの空に取り残されるたゆたいと身悶えの空間が現出する。この大人の身体感覚の成熟を「たるみ」としか子規は味わうことができなかった。「「つれなくも」の一語は無用にして此句のたるみなり」と断言している。肺病にとりつかれた二十六歳の青年の限界といえよう。目の前の現実だけの写生一辺倒では、せっかくの蕉風の余白と多義性も平板化してゆかざるを得ない。

一方で、史上の文学者の卒年を調べ、最高齢の九十歳以上から始めて、しんがりに実朝を記す寿命一覧表には胸を衝かれる。三十五歳で迎える死を、青春期の凄まじい意欲で受容した空前絶後の「辞世文学」は、肉体の痛苦を溌溂たる精神のエネルギーへと変換し、和歌俳句の腐敗と渾身で闘ったのである。みずからを開拓し続けることが「尊厳死」であると勇者は語る。

蛇笏の呪力　『飯田蛇笏全句集』

俳壇最高の賞といわれる蛇笏賞の創設から五十年目にして、初めて『飯田蛇笏全句集』が文庫本になった（角川ソフィア文庫、二〇一六年）。九歳から七十七歳までの七千三百七十句を収める。巻末の季題索引は歳時記としても使え、一つの季語が一俳人のなかでどう深まっていったかを辿ることもできる。軌を一にして、山梨県笛吹市の生家では、蛇笏が句会に使っていた「山廬（さんろ）俳諧堂」の復元事業が動き出し、現在は毎月公開日が設けられている。

明治十八（一八八五）年生まれの蛇笏は早稲田大学に進み、虚子の「ホトトギス」に拠（よ）って頭角を現した。若山牧水ら文学仲間とも交流し、小説家を志した。だが、地主の長男ゆえに家督相続人として故郷に呼び戻されることになる。当時の文学青年にとって、東京で文名を上げる王道からそれることは流竄(るざん)に斉しかった。この都会生活との別れという文学的逆境を、詩精神を涵養するバネにしていったところに蛇笏の凄みがある。凛然たる気骨「蛇笏調」を拓く原点となったのである。「雲母」を主宰し格調の高い立句(たて)を生むようになり、早くも青年期にして肺腑(はいふ)の大きな気韻に達した。

　芋の露連山影を正うす

　流燈や一つにはかにさかのぼる

壮年期には見たままの写生を超え、ものの気配と一体になった。

　折りとりてはらりとおもき芒かな

　くろがねの秋の風鈴鳴りにけり

還暦をはさみ、高邁(こうまい)な精神はいよいよ深まる。

　冬滝のきけば相つぐこだまかな

　ぱつぱつと紅梅老樹花咲けり

さらに晩年には、蛇笏ならではの虚実混交ともいうべき雄峰があらわれる。

荒潮におつる群星なまぐさし

夜の蝶人ををかさず水に落つ

もはや叙景と抒情の境もない。枯れるどころか生の妖しさに満ちている。蛇笏は客観写生も観照も突き抜け、ことばと無のはざま、渾沌の呪力に分け入っていった。薄味で小器用な俳句を褒め合う現俳壇を、冥界の蛇笏はなんとみるか。

震源としての俳句 『季題別 中村草田男全句』

草田男の九冊の句集一万一千六百十四句が、新年を含む五季の歳時記風に編纂され、『季題別 中村草田男全句』（角川文化振興財団／KADOKAWA、二〇一七年）として生まれ変わった。草田男（一九〇一～一九八三）は青年期「ホトトギス」に拠りながら、鬼才ゆえに虚子の手に余る巨花となった。

楸邨、波郷とともに「人間探求派」と総称されるなかで、その鋭く深い芸術思想は異彩を放っている。〈降る雪や明治は遠くなりにけり〉〈萬緑の中や吾子の歯生え初むる〉など、すでに国民的俳句として人口に膾炙する句も多い。

妻抱かな春昼の砂利踏みて帰る

花時だろう。砂利の眩しさと足裏の踏み心地から愛妻への情欲が宇宙的にほとばしった。至純の肉体性を春昼と一つになって俳句に謳った男性は絶後である。

父となりしか蜥蜴とともに立ち止る

作者は夏の日にかがやく青蜥蜴のひくひくする腹と一体化している。上五字余りの切れと、タ行九音の力感、わけても、ト音の連打が心臓の鼓動を思わせ、いのちの神秘が脈打つ。父親になったことを告げられた驚きが全人的戦慄とともに結晶化された名句である。

同書巻頭に「季題がなかったら、俳句はあまりに小さくて畸型の文学になってしまいます」と記すように、草田男は無季俳句を排除した。季題に現実と内面の投影という二重性の世界を求め、「象徴文学」である俳句の心臓としたからである。だが立ち止まって考えてみれば、俳諧は昔からきれいなもの、ととのった和歌的なものより、滑稽というある種の畸型を尊んでこなかっただろうか。さらに被爆し被曝した日本は、すこやかな四季が巡る季題の楽土から追放された生をも引き受けてゆかなくてはならないのではないか。そんな疑問も生まれるのである。

現在の俳句はテレビタレント俳人に代表される芸能化が進み、俳壇は人畜無害な「新軽み派」が大勢を占める。ニーチェの思想と芭蕉の作品に傾倒し、みずからの血と肉と化した草田男の濃厚で炎炎たる俳句と俳論は、生前も豊饒な論争を展開し、現代俳句の地平を拓く力となった。いまも草田男は、俳句とは何かを問う震源に位置する。その到達点から新たな議論を巻き起こしたい。

桃源へのほそ路　芳賀徹『文明としての徳川日本』

古典を読むのは、それが書かれた日から現在までに経過したすべての時間を読むようなものだとボルヘスはいった。

芳賀徹は『文明としての徳川日本』（筑摩書房、二〇一七年）で、江戸時代を封建社会という「夜明け前史観」から解放した。徳川の平和（パクス・トクガワーナ）という文化の肥沃（ひよく）時代として新たに捉え直したのである。その文化の円熟期にあって、「民衆のための民衆による詩歌」が俳諧という文芸であり、平和な天明期を代表するのが与謝蕪村であるとする。子規の説いた積極的・客観的美としての蕪村像より、萩原朔太郎の説いた「郷愁の詩人」に近いことがわかる。四海浪静かな「安らぎの詩人」の相貌である。わびさびの求道者芭蕉とは違う、「練絹のように艶のある、こまやかで深い」詩を芳賀の馥郁とした筆がよみとく。

うづみ火や我かくれ家も雪の中
うづみ火や終には煮る鍋のもの

低生産、低成長、知足安分の弱火のような平和な社会に、蕪村のけだるさや倦怠の消極的な美は釣り合う。かくれ家は小さく狭くほの暗いほど安らか。

桃源の路次の細さよ冬ごもり

桃源の路次は細いだけでなく、最後には緩やかに下って行かねばならぬものという。そういえば、川端康成の『雪国』も、トンネルという「路次の細さ」の奥にあった。芭蕉の『おくのほそ道』もまた。

では、スマホのフラットな小窓に消光する現代人の桃源の路次はどこにあろう。このとき、情報・モノ・カネが目まぐるしく狂騒するグローバルな現代が田沼時代の蕪村から逆照射される。徳川文化は十九世紀後半の西洋文化にジャポニスムという豊饒な芸術の泉をもたらした。

分断と非寛容の今世紀に「俳諧的平等主義」がジャポニスム第二波を巻き起こせたらどんなにいいだろう。パクス・トクガワーナは新たな息吹をつたえてくる。

百歳のユーモア　後藤比奈夫『白寿』

世阿弥は能の奥義を老木（おいき）に花咲かすことだといった。いま俳句で奥千本の花をみせてくれるのはこの春（二〇一七年）、満百歳になる後藤比奈夫。代表句に〈東山回して鉾を回しけり〉がある。句巾（はば）は柔軟で広やか。二〇〇六年に蛇笏賞を受賞した『めんない千鳥』（ふらんす堂、二〇〇五年）には斬新な現代批評詠まである。

蟻地獄までもバーチュアルリアリティ

現実は仮想現実に侵蝕され、ついにお堂下に巣食う蟻地獄（ありじごく）まで取り込まれる。スノーデンが告発したサイバー空間が地球上のみえない戦争を支配するように。面白くてやがて恐ろしい俳句である。

抱へられ跨ぐ湯桶や初湯殿

句集『白寿』は肉体の衰えを素直にあらわす。初湯は新年の季語。バスタブを自分ではもう跨げない。若い介護職員に抱えられて浸かる湯舟は、下五で一挙に御殿のゆたかさに変容する。初湯に合体した「殿」の効果だ。ものと春をなす老艶の境地といえよう。

喪に籠りゐても年賀は述べたかり

長寿にも嵐はある。昨年愛息を喪った。父の夜半から継承主宰した「諷詠」をようやく譲った四年目のこと。だが、俳精神はくじけない。

あらたまの年ハイにしてシャイにして

今年の新年詠である。ハイは高揚する気分、シャイははにかみ。百歳のかわいさ、めでたさ、おかしみがあふれる。ハイは俳、シャイは謝意の掛詞でもあろうから、素顔の恥じらいもほのみえよう。A母音の開放的な五音が、I母音の歯切れ良い連打へと変わってゆく音楽性は、俳句を「定型音感詩」と心得てきた人ならではの愛誦性に富む。なんともふくよかな上方文化の薫りである。百歳の俳味にほっこりし、やがてシャンとさせられる。

作者は、二〇二〇年に百三歳で羽化登仙された。

土にあこがれた人　金子兜太追悼

生涯現役の熱血漢が九十八歳で長逝した。そのつい三か月前、金子兜太は現代俳句協会の大会でほがらかに秩父音頭を歌った。満場の潮鳴りのような手拍子に頰を桜色に染め「花のナァーエ、花の秩父路、アレサ更けていく」。その野太い声はいま、春風になって産土の雑木山を芽吹かせているか。

八十年にわたる句業のピークは前半にあった。第一句集『少年』から。

富士を去る日焼けし腕の時計澄み

きよお！と喚いてこの汽車はゆく新緑の夜中

富士・腕・時計の三つの奥に人界を超えた明澄な時が流れている。表面張力のみなぎるしろがねの珠を、秋気に転がすような画然たる青春詠である。「きよお！」の擬声語は兜太でなければ思いつけない。現実の汽車よりもなまなましい。ねちっこく肚にズドンとくる破調のリズムは、新緑のぶあつい闇を突き進む。いのちの律動が響もしてゆく葉摺れである。次は三十代後半の句。

青年鹿を愛せり嵐の斜面にて
銀行員ら朝より蛍光す烏賊のごとく

青年は嵐の斜面に立って、鹿の雪のように白い尻とすばしこい細い脚を恋う。決してわがものにならないものを愛する。清新な抒情とは対照的な「銀行員ら」の冷血の感触は、二十世紀後半の拝金主義を静かに告発する。この批判精神が、終生社会派を貫く原動力になった。最後は八十を目前にした秀作。兜太は生命に健啖であった。

よく眠る夢の枯野が青むまで

芭蕉の〈旅に病で夢は枯野をかけ廻る〉への唱和であろう。芭蕉の夢はどこまで行っても藁色と金の錯綜である。兜太の熟睡はやがて緑をほとばしらせよう。兜太は洗練とは無縁である。ごつごつとどこまでも人間臭い。土のいきおいに憧れ続けた人だった。

感応する老人格　大牧広

老いとははたして衰耄（すいもう）だろうか。八十五歳の大牧広が脱皮し続けている。詩歌文学館賞の『正眼』から二年で『地平』（角川文化振興財団／ＫＡＤＯＫＡＷＡ、二〇一六年）を出版した。

外套の重さは余命告ぐる重さ
凩や石積むやうに薬嚥む

なーんだ、やっぱりさみしい、と早合点しないでほしい。冬になって馴染みのオーバーに腕を通したとたん、肩に来た重さに余生を悟り、北風の窓辺に並べた錠剤をぎくしゃく飲む行為に賽（さい）の河原の石積みを思う。老いの現実を全身で把握した平凡のつよさがある。この腰の低い足場から全方位で社会や現代がうたわれる。

葉桜やベンチに非正規らしきひと
田植寒銀座はことにうそ寒い
冬木立員になりたい人ばかり

葉桜の下の若者を正社員になれないのかと思いやる。田植と銀座という遠いものを、農業衰退国と高級ブランド街の心理的な寒さがつなぐ。冬木道を目線も交わさずすれ違う都会人に、だんまりをきめこむ民主主義の凋落(ちょうらく)を重ねる。まっすぐな切り口にトクトクと熱いこころが脈打つ。批評眼は冷たくない。共生のぬくもりが底から支えている。

やがて雪されど俳句は地平持つ

灰色の空を雪がかきくらしても俳句は新たな地平を拓くひとを待っている。未来を担う世代へ重低音のエールを送る。

精神的な老熟とは冷え枯れることではなく、本来の自分になることなのかもしれない。花鳥諷詠に磨かれるのが俳人格なら、大牧の共生感覚は気取りのない温かな老人格である。

どこかエリート臭があった戦後の社会性俳句は、大牧広によってふかく身体化されたといえるのではないか。

切れの交響曲　有馬朗人『黙示』

八十代でみずみずしい詩の新境地を拓くひとはまれである。有馬朗人は『黙示』（角川文化振興財団／KADOKAWA、二〇一七年）でそれを実現した。

茶禅一味と茶の湯でいう。草庵の茶室のにじり口を潜れば名利のない平等の美の世界が広がる。俳句も同然だ。元東大総長も文部大臣もない。丸腰の句集である。

早くに父を失い苦学を重ねた作者は小さく弱いものへの共感を常ににじませる。

いろは習ふやうに桑の葉食みゆけり

蚕の無心さに幼い日の学びを思う。同じいのちの地平で春の蚕になりきって。

もらひ風呂せし遠き日や梨の花

「ゆっくりあったまっていきなよ」

おばさんのやさしい声がする。梨畑のほとりでつないだ母の手のぬくもり。「梨花一枝春雨を帯ぶ」という楊貴妃を喩えた詩が句の奥にうるむ。この世の美は、きっと美人の顔（かんばせ）よりもずっと深いところにあるのだ。

このようにしてわたしたちは句集後半に至り、土俗のぬくもり、日本美の粋（すい）、長大な時空において稀有の句に出会うことになる。

ごろすけほう観音様が生まれるぞ
墨は奈良紙は吉野の春の雪
天高し分かれては合ふ絹の道

冬の梟（ふくろう）がほうと鳴く。円空や木喰（もくじき）がいたなつかしい昔。山木を割った木っ端から観音様があらわれ出る。村人の喜びの声は野太い。二句目は「吉野」の手漉（す）き和紙を「春の雪」へ転じて、意表をつく。正史に書かれなかった人間の悲喜こもごもの営みが春の六花（りっか）に掬（すく）いとられてゆく繊麗さ。

「天高し」は、骨気も暢（の）びやかに、ユーラシア大陸に興亡した宗教や文化の離反と交流をことほぐ。上五の切れに長大な時空が交響する。人馬がゆきかう。なんとはるかな万年の往還の足音であることか。

地貌に耳澄ます　宮坂静生『季語体系の背景――地貌季語探訪』

宮坂静生（一九三七年生まれ）が三十年間の活動の成果ともいうべき『季語体系の背景――地貌季語探訪』（岩波書店、二〇一七年）を出版した。「地貌季語」とは四季が斉しくめぐる京都中心の気象や雅びな意識から遠い、土地固有の季節感と文化を包含することばである。方言に重なることが多く、いまや瀕死の状態にある。いわば草の根主義の季語採録に作者をかり立てたのは、従来の歳時記では北海道や沖縄など、北と南をもつ日本文化の多重構造を収めきれないという思いであり、近代の人間中心主義を超える新世紀を拓く鍵を見出したいという願いであった。

だが、どうして地貌季語であり、風土季語ではなかったのだろう。宮坂は昭和三十年代の能村登四郎の「合掌部落」や、沢木欣一の「能登塩田」などの連作が風土俳句と呼ばれることに違和感を覚えていたのである。地貌季語は、観光客の目にふれるもの珍しい田舎の風物ではない。なんどもなんども土着の人間がぶつかるもの。土地に根ざした死者のことばといまを生きるおのれとの出会いなのである。人間にも土地を体現した「地貌のひと」がいる。その一つ一つの出会いがまた圧巻である。ことに北陸・糸魚川の齋藤美規を訪ね弔句を捧げるくだりには胸を打たれる。

可惜夜(あたらよ)の桜かくしとなりにけり　齋藤美規
死して尚ひと世了らず蕗(ちゃんまいろ)の薹　宮坂静生

ともに地貌季語詠。「桜かくし」は花時に降る雪。「ちゃんまいろ」はふきのとうをさす方言である。句の後に「蕗(ふき)の薹(とう)は人間よりも先輩」というつぶやきが置かれる。そのとき地貌季語は、風土と一体化した生者と死者のみずみずしい出会いの光景になる。地中から生え出て、俳句の本質を問い続けるのである。

美とエロス　高橋睦郎『十年』

真善美という。真と善は論理(ロゴス)の普遍性をもつが、美はエロスと一体ゆえに、つねにある種の偏差のなかにある。高橋睦郎の古稀(こき)以降の作品を収める『十年』（角川文化振興財団／ＫＡＤＯＫＡＷＡ、二〇一六年）は、少年期から醸成してきた美とエロスのマグマが、そこここに溶岩の露頭をなし、奇峰をなす。

青年の父を死なしめ春の雪
男契(なんけい)の色もしいはば鳥兜
國體の腸夕なまぐさし憂國忌

作者の父は二十九歳で没した。夭折の狂おしさに「春の雪」ほどふさわしいものはない。永遠の父恋は青紫に澄みわたる男色の美学に変容してゆく。同じ秋の紫系の野草でも、「鳥兜(とりかぶと)」は杜鵑(ほととぎす)のように濡れそぼっていない。毒草ではあるが、日のひかりを好み、陽である。旧字の「國體(こくたい)」は皇国思想。それを三島由紀夫の切腹にかぶせた痛烈な批評精神は、三島のエロスとメドゥーサの蛇のように絡み合い、無惨の美を現出せずにはおかない。

作者は、俳句を自己表現とは考えず、先人の文化遺産との合作であるとする。したがって睦郎を読むことは、すなわち多彩な引用の網目をほどき愉しむことでもある。

花はをのこ月はをみなか西行忌

ここにも独自の美意識が謳われる。本歌は西行作とされる〈思ひきや富士の高根に一夜(ひとよ)寝て雲の上なる月を見んとは〉であろうが、奥には〈吉野山梢の花を見し日より心は身にも添はずなりにき〉と、高貴な女性の俤（おもかげ）を重ねた花恋も匂う。作者は花と月とが返照しあう浄土を西行のたましいに捧げることで、八百年の時空を超える唱和としたのである。

ジャンルを跨ぐ旺盛な創作活動について、自身は「書きたい衝動が内側から詩・短歌・俳句・散文の形式を選ばせる」と語る。文人俳句という呼称で一くくりにはできない妖気は、懊悩を秘めたエロスの火照りにある。

　おほぞらの奥に海鳴る涅槃かな

宇宙的な大柄句である。寂滅すら定点としない苛烈な憧憬の狂おしさ。

闇の声を聞け　高野ムツオ『片翅』

闇と土の俳人、高野ムツオの重厚さが際立つ句集が出た。『萬（まん）の翅（はね）』（二〇一三年）は三・一一直後の迫真のルポルタージュが江湖に衝撃を浴びせ、蛇笏賞を含む三賞に輝いた。『片翅（かたはね）』（邑書林、二〇一六年）は、古稀を迎えてさらに目線を低めている。ルポは主観と客観を弁別するが、本集は主客の境を越えて、大震災の現場で見聞きした生死を、みずからの身の裡に鎮め引き受けたもの。

　　蕨手は夜見の手それも幼き手

　さわらびの萌え出ずる春。おいでおいでの仕草のように縮れるわらびは大地ではなく、黄泉（よみ）から伸びたもの。津波に呑まれたあの幼子たちのやわらかな手のひらだ。冥府の闇と陸奥（みちのく）の地霊が背後に迫る。これは一番生きたかった幼霊たちを悼む句集でもある。

　　飛ぶならば夜の代田をすれすれに

　この世に帰ってもし飛べるとしたら、父祖代々に耕されたなめらかな土、それも水を張った夜の代田の上を腹すれすれに飛びたい。みちのく独特の体性感覚、泥濘（でいねい）のやさしさに慄（おのの）かないひとはいないだろう。

　　夏雲か供花か棄牛の頭蓋骨
　　土中こそ声あふれおり福寿草

「夏雲か」は棄牛（ききゅう）のされこうべを供養する積乱雲の眩（まばゆ）さが痛烈。俳句で描かれた凄絶な被曝（ひばく）画である。現代俳句は十万年もの放射能汚染に向き合わなければならない。ほろびたもの、見向きもされないものの声が地中をわんわん響（とよ）もす。「土中」にあるのは主（しゅ）に憐れみを求める祈りではない。みずから土くれをもたげ、日輪のように微笑む福寿草なのだ。

人間の数だけ闇があり吹雪く

子規は、浮華卑俗の文学ほど世を害するものはないといった。ムツオの重層低音は、浮薄を軽みとはきちがえたポピュリズム俳句から遠い。まつろわぬ蝦夷（えみし）の、吹雪からの雄叫（おたけ）びである。

日光から月光へ　正木ゆう子『羽羽』

現代俳句にこの人がいなかったらどんなに淋しいだろう、そう思わせる自由の美神が正木ゆう子である。一九五二年熊本市に生まれ、大学時代から「沖」の能村登四郎に師事した。四十八歳で師の後を継ぎ読売俳壇選者に就任。第三句集『静かな水』で芸術選奨文部科学大臣賞を、二〇一七年に第五句集『羽羽（はは）』（春秋社、二〇一六年）で蛇笏賞を、高橋睦郎とともに受賞した。
秀句の多さでも頭抜（ずぬ）けた作家である。過去の四句集から一句ずつをみよう。

滝を見る水晶体をたれも持ち
薫風にまる洗ひきく身体かな
粗衣粗食なりし人類はるいちばん
年の夜の高きところに噴火口

滝と水晶体の現代アートのような出会い。薫風に「まる洗ひきく」とした言語感覚のよろしさ。太古と現代をかるがると吹きかよう春一番。人間の営みに局蹐（きょくせき）しない噴火口。どの句も発想の奇抜さとポエジーのみずみずしさにあふれて独自性が高い。
『羽羽』は向日性豊かな太陽神が、母を看取り、三・一一を経て、人の世の哀しみに月光菩薩へ変身を始めた句集である。

吹く風の緩めば昇るはなびらよ

巻頭句も一転くつろいだ姿で始まる。

つかみたる雛に芯のありて春
洗ひ張りなどしてゐる母よ何時の夏
十万年のちを思へばただ月光

ひよこの首根っこのぬくみにいのちの芯を感じとる。洗い張りをする母はいまも夏の光をまとい宇宙のどこかで待ってくれているよう。繊細な感性と明哲な批評精神は現代文明を宇宙的なスパンで照らし出す。それは写生による画のような俳句ではない。画の後ろにも回ることのできる奥行きある「存在」である。

発想の波長のながさ　鈴木太郎『花朝』

森澄雄が逝って七年。衣鉢を継ぐ重厚な句集が刊行された。「本当の俳句は、物を見たとき言葉のないところから発想が生まれてこなければいけない」と澄雄はいった。鈴木太郎の第五句集『花朝』（本阿弥書店、二〇一七年）はそれに応えよう。

鈴木は一九四二年福島県の会津に生まれ、一九七〇年「杉」創刊時より澄雄に師事した。一九九七年から「雲取」を主宰する。

句集は母への悼句でも際立つ。

咲き満ちて桜の中は妣の国

満開の花の森を歩む。そのとき幽明の境は溶ける。哀傷はそのまま原初のいのちに膚接する。

生国は胸に湧くもの氷頭膾
しぐれ忌の己が瑕瑾をあたたむる

ふるさとはいつも澎湃と胸に湧き上がる。氷のように透明な鮭の軟骨のコリコリした歯ごたえは一句を感傷に陥らせない。「しぐれ忌」は芸を超えた人生の探求者芭蕉の命日に、自分の至らなさを思うという。欠点を反芻しあたためる初冬の思いは深い。

懐のひろさに感覚の良さが添う大きな句もある。

赤ん坊そのてのひらに夏野かな
赤富士や人の命の太きとき

「赤ん坊」のてのひらに夏野が握られている。作者は詩の発見に酔うことなく「その」と突き放す。おまえの人生の夏はおまえが握っているのだ。なんというはげましだろう。夏暁の「赤富士」が視野いっぱいに立ち上がる。上句の「や」の切字に、朝露滂沱（ぼうだ）の夏富士と壮年のいのちとが拮抗する。簡明であればあるほど俳句は勁い。

澄雄が求めた、言葉にする以前の発想の波長のながさをもつ句が並ぶ。師系の継承が結社制度にではなく、個の実作にあることを体現した句集といえよう。

月光の挑戦　上田玄『月光口碑』

大枯野のかなたから驚くべき才能があらわれた。上田玄の『月光口碑』（鬣の会、二〇一七年）である。

芽柳を
輪に
夜を旅する
水となる

いまや絶滅危惧種の多行俳句である。芽柳を結ぶ春の吉祥をかかげながら、わが身は水となり、どこまでも夜の底辺を流れる。その冴え冴えとした水の眼（まなこ）。

多行形式は高柳重信を祖とするが、短歌では啄木や釈迢空らに先例がある。玄は、やはり多行の俊英林桂（はやしけい）の「鬣（たてがみ）」に拠（よ）って、二十年の断筆から古希にして蘇った。全共闘世代の漂泊の詩魂を、独自の韻律に琢（みが）きぬいた奥行きのある句集である。

渡邊白泉を「登攀（とうはん）ルートの匿（かく）された北壁」と仰ぐ作者は、さらに古典詩歌の韻（ひび）きを月下の七弦琴のように溶かしこみ、なつかしさと静けさに人をいざなう。

月光巡礼
崑崙の山羊
母は
織り継ぐ

いのちのみなもとの崑崙山の麓で山羊を飼う。母は極細の毛糸を織る。やわらかくかるく温かな手ざわりの布に月光はしみいる。月は巡礼となって、いのちをつなぎゆく。母も子も山羊も、崑崙山までもひそかに慰藉する。宇宙的なコクのある光景である。

詩歌の歴史は様式化へのあらがいによって更新される。有季定型一行書きを金科玉条としない、こうした異形の俳句とも往還する自由な精神風土からこそ、新たな定型も花ひらくだろう。

切れに畳まれたもの　オウム死刑囚、中川智正

江里昭彦が山口県宇部市で骨のある活動をしている。オウム事件の死刑囚中川智正と二人でつくる私家版の俳誌『ジャム・セッション』を出して丸四年（二〇一六年）、九号になる。中川は独房で、

詠まざればやがて陽炎獄の息

と、俳句をよすがに悔悛の日々を送っているという。

一九九四年夏の松本サリン事件は、無辜（むこ）の人が同胞の毒ガスに殺されるという、地軸を揺るがす非人間的な事件の始まりだった。

かのピカは七十光年往けり夏

広島に原爆が落とされて七十年余り。真空中を光は伝わる。いったんこの世にあらわれた美は決してほろびないと高村光太郎も川端康成もいった。ひそみに倣えば、いったんこの世にあらわれた罪は決してほろびない。いまも宇宙空間を閃光が走り続ける。中川は青年医師であった自身の罪業を、原爆投下に重ねて慄（おのの）き、独房の夏にひたと向き合う。「往けり」の凄絶な切れに畳みこまれた痛恨の念と死者の悲しみはほとんど宇宙大といえよう。

指笛は球場の父虎落笛（もがりぶえ）

少年野球の思い出だろう。父はホイッスルの代わりに「ここだよ」と得意な指笛で知らせてくれた。仲間たちの笑いさざめき。応援席を飾る弟や妹たちの赤や黄の服。芝の青さ。バットに当たる白球の快音。が、一字空白の切れはいっさいをかき消す。あるのは獄窓の鉄柵をなぶる虎落笛だけ。だのにどうしても、あの日の父の指笛を探してしまう。

死刑執行官の足音におびえる独房生活を思う。奈落の底から生まれた俳句は勁(つよ)い。認識と感情が一本の草になって立っている。草は人間とは何かを問う境界線になろうとしている。

中川はこれらの俳句を作った二年後、二〇一八年七月六日に死刑を執行された。同月にオウム真理教の死刑囚十三人全員が絞首刑となった。折しも西日本豪雨という天災のさなか。テレビでは濁流が家々を呑みこみ氾濫するニュース映像の合間に、字幕で地味に執行が報じられた。

わたしは、死刑反対論者である。戦争でも刑罰でも、国家の名の下にひとりの人間も殺すべきではないと思うからである。それは別にしても、国は中川智正を殺すことよりも先に、なすべきことがあったのではないか。京都府立医大を卒業した高偏差値の医者がカルト宗教に入信し殺人者になるまでの詳細な過程を、国家的プロジェクトを組んで学際的に研究検証すべきであった。社会学、心理学、精神医学、教育学、宗教学の横断的な探究と総括がなければ、同じ過ちをまた繰り返すのは明らかだからである。首を絞めてしまったら何の研究もできない。まさに死刑から四年後、安倍元首相暗殺事件が起こった。長年うやむやにし続けた旧統一教会問題にマスコミは一挙に群がったが、カルト宗教に対する抜本的な対策も教育も、いまだ講じられることはないのである。

現実にがぶり寄る　「汀」・「天荒」

季語とともにある俳句は心安らかで楽しい。だが、二十一世紀の日本はすでに、歳時記的な季語の世界から滑り落ちてしまったのではないか。農村とともに「故郷」が死滅し、詩歌のことばが実体と乖離した『死語の戯れ』になったと松本健一が警鐘を鳴らして三十余年。農業従事者は人口の一%余りとなり、農耕文化を下地とする歳時記のあちこちに鬆（す）が入っている。

危機的なこの状況にあって、俳誌は七百を数えるという。全国俳誌協会の今年（二〇一七年）の編集賞は井上弘美主宰の「汀」に決まった。東京と京都に拠点をもつ活力と、堀切実の高度な連載評論も評価された。

特別賞に輝いた沖縄の同人誌「天荒」は反骨精神において頭抜ける。まず、代表の野ざらし延男から。

地球の皮を剝ぎ除染とは何ぞ
火だるまの地球がよぎる天の河

福島の被曝（ひばく）を頭で告発しない。皮膚を剝ぎ取られる地球の痛みになりかわっている。「火だるま」は焦熱地獄。日本の〇・六%の面積に約七割の米軍基地を背負わされた沖縄では、ことばは戯れるいとまをもたない。詩の弾丸になる。

金城けいは、ネットでスマートに人を謗（そし）り、戦争ゲームに興ずる、現代の恐怖を書く。

人危める白い指先スマートフォン

一九八七年生まれの大城さやかの現実認識の深さと切実さには舌を巻く。

能面が爛れたままの安全神話

卵剝く地球の皮膜と対峙する

原発安全神話に安住してきた日本を能面に喩（たと）える。輝く卵を剝（む）きつつ人間が汚染した地表と成層圏に向き合う。

無季俳句は現代社会への批評眼から生まれる。それは自然随順が、いつの間にやら現状追認になりがちな、有季定型俳句に対する痛烈なアッパーカットである。

虚実の両岸　四十代半ばの二俳人　黒澤麻生子・田島健一

四十代半ばの二句集が対照的で面白い。共通項は二十年余の作句から選んだ第一句集であることくらい。

まずは黒澤麻生子（「未来図」「秋麗」同人）の『金魚玉』（ふらんす堂、二〇一七年）をみよう。

冬ぼたん死後も耳たぶやはらかく
あたたかや同じ話を聴きにゆく
白南風や家族写真は巨樹の前

母のなきがらを撫（な）でて耳たぶの柔らかさに指が止まった。「冬ぼたん」の季語に端正な面影が匂い立つ。麻生子は職場で接する老人の同じ話を「あたたかや」と聴く。日溜（ひだま）りのようなふところの持ち主である。家族の談笑は「白南風」に吹かれるほんの束の間、と見定めたとき、青天と大樹の茂りはいよいよ眩しい。実に根ざした素手素足の作者の感性には大器の片鱗（へんりん）がある。

一方、田島健一（「炎環」「オルガン」同人）の『ただならぬぽ』（ふらんす堂、二〇一七年）は。

戦争は空気を走る銀の鹿
白鳥定食いつまでも聲かがやくよ

ただならぬ海月ぽ光追い抜くぽ

現代の情報戦はしなやかな「銀の鹿」のように無味無臭だ。「白鳥」は無季のかがやかしさで定食になる。健一は物のみえたる光ではなく通り過ぎる光、わたしのものではない現実の非現実感を描く。表題句の「海月ぽ」の発光も水族館の照明だろう。「ネット言語ネイティブ」が虚に居りて虚を行う。すべては平準化されている。平熱のスクロールが続く新世代の俳句である。

両者ともいかに上手い俳句を書くかではなく、自分にとって何を書くかに腰を据えているのが頼もしい。麻生子の実と、健一の虚。四十代の虚実の競演はこれからが本番だ。どちらがよいかではない。虚と実はつねに相補関係にある。

二、三十代の俳人　一九八三年以降生まれの若手

七十五歳の俳人が俳句組織の要職から引退して実作に専念したいと申し出たら「まだ若い。平均年齢は八十です」といわれたそうな。ことほど俳句は実社会を上回る高齢社会だが、一方で二、三十代の活躍もめざましい。

『俳句』（二〇一七年七月号）の二十九人の若手競詠から九人を紹介しよう。まずは二十代。

青蜥蜴砂に汚れぬ走りかな　小野あらた
今し方瓜呉れし子の寝てゐたる　堀下翔
うつすらと濡れて粽の笹の嵩　安里琉太
痩せて立つ柱の時間若葉雨　生駒大祐
姿見のなかの裸といれかはる　大塚凱

小野の眼はよく働き、堀下は言語感覚に秀でる。安里はことばの質感を知悉（ちしつ）する。生駒の句柄の大きさ、大塚の拓こうとする新地平、ともに期待大である。三十代では景に奥行きが添うようになる。

筒鳥のふところへ径至りけり　鎌田俊
新聞の薄さを笑ふ夕涼み　中山奈々
葉桜や歩く速さに添ふこころ　兼城雄
抽斗の取手の売られ麦の秋　小川楓子

鎌田の端正な把握、中山の俳諧味、兼城の清潔な抒情、小川の秀逸な感性。

『短歌』（二〇一七年七月号）では少壮歌人山田航が、文語、旧かなでは現代のリアルはもはや表現できないと問題提起している。対照的に若手俳人の二十九人は全員文語、旧かなである。それがたんなる伝統の習得ではなく、みずからののっぴきならない表現の必然性と結びついて、時代を切り拓いてゆくことを願う。

春秋に富む人たちである。歳月の山や谷を俳句の肥やしに、スケールの大きな感動を生んでゆけるか、ささやかな伝統工芸品として終わるか、小成に甘んじない気宇がこれから問われてゆくのである。

フクシマと十代の俳句　福島の高校生二人

「森はいのちをこうやってつなぎます。三階建ての色の違い、わかりますか」

静岡の函南（かんなみ）原生林でのこと。満目に新緑があふれ、何のことかと思った。よく観ると、高、中、低と、木々は日光に濃淡の三層をなしている。倒れた大橅（おおぶな）は茸（きのこ）に覆われ、微生物を育むゆたかな土に変わってゆくところだ。過去、現在、未来の三世代がともに健やかなとき、森はいのちを更新できるという。ではいま、俳句はどうか。『17音の青春 2016』（角川文化振興財団／KADOKAWA、二〇一六年）をみよう。

被曝者として黙禱す原爆忌
フクシマに柿干す祖母をまた黙認
高橋洋平（福島・福島西高等学校二年）

高橋洋平は小学校の卒業直前に三・一一に襲われた。福島県飯館村は当初安全といわれたが、中学に入学して間もなく、突然避難命令が出た。福島市での退避生活はいまも続く。「被曝者として」が衝撃的だ。人類初の原子爆弾が日本に投下された七十年後の夏に、東北の高校生が、みずからの被曝に身をゆるがされながら、ヒロシマの死者を悼むことになろうとは。二句目。原発汚染の現実に祖母の意識は追いつかない。柿を日に干すならわしを、子も孫も「やめろ」とはいえないのである。

原爆忌轢かれた鳩の上の空
遠花火裏番組でどこか戦争
野村モモ（福島・福島西高等学校二年）

野村モモも同じ福島西高生。「轢かれた鳩」に痛いほど血が通っている。「遠花火」では、その喧騒に、裏番組の戦火に逃げ惑う人々の映像が重なる。地球の同胞を思いやるまなざしは、痛みを知ったものだけがなしうる深さである。

わたしたち大人は、人類の歴史を超える長期間の放射能汚染を未来に遺す痛恨世代である。反省をバネに、伸びゆく若木たちを見守り育てたい。

17歳の17音　神奈川大学全国高校生大会

高校生の俳句登竜門に俳句甲子園と双璧をなす神奈川大学全国高校生俳句大賞がある。前者はテレビで放映され、後者は毎春一冊の新書になる。その『17音の青春　2017』(角川文化振興財団／KADOKAWA、二〇一七年)が今年も出た。選者の一人、金子兜太に「ときどき読んで勉強してます」といわしめるアンソロジーである。ほんの一端しか紹介できないのが残念だ。

林檎寂し裸体あふるゝ絵の中に　　柳澤悠佑(京都・洛南高等学校二年)

柳澤悠佑はアダムの齧った知恵の木の実の林檎に、二十一世紀の迷走を深める人類を投影してみせる。清新な色彩感とスケールの大きさで一頭地を抜く。

不意打ちの雷鳴のごと愛を告ぐ　長澤魁斗（青森・七戸高等学校二年）

長澤魁斗は恋を告げる破れそうな心臓の匂いを一気に読み下す。轟くスピード感は、北遠の地の雷鳴さながら。

菜の花や影無き道を帰りたる　瀬戸口優里（神奈川・慶應義塾湘南藤沢高等学部三年）

瀬戸口優里にとらえられた十代の日永。何もない空間に花菜道だけがまっすぐ伸び、純白の太陽へ向かって孤独がはじける。

少年は家出の途中天の川　戸澤優子（青森・弘前高等学校二年）

戸澤優子の身体には太宰や寺山を生んだ津軽平野のだだっ広さが棲みついている。こういわれると老年になっても家出していたくなるではないか。

炎昼や利鎌を壁に立てかける　　金城果音（沖縄・浦添高等学校三年）

金城果音は百草生い茂る沖縄の真夏に実直に向き合う。利鎌のみずがね色に明知を研ぎ澄まして。若者の俳句はけして一極集中ではない。風土に花ひらく。ひとは自分の生まれ育った大地の水の匂いから逃れられない。東洋最古の文学評論『文心雕龍』に「詩は持なり」がある。みずからの志と情性をもち続けることが詩人の証しである。

破格の高校生『17音の青春』

俳句の高齢化が止まらない。だが、それは可視化された結社や協会内部のことで、水面下では若者たちの俳句熱が高まっている。神奈川大学全国高校生俳句大賞『17音の青春　２０１８』（角川文化振興財団／ＫＡＤＯＫＡＷＡ、二〇一八年）はそう思わせる力にあふれる。応募数は二十周年の今年（二〇一八年）、初回の三倍になった。

ぼうたんのまはりの闇の湿りたる　　渡辺光（東京・開成高等学校二年）

母の乳房豊満なりし早苗月　　白井千智（石川・金沢錦丘高等学校一年）

採石場ジュラ紀白亜紀草田男忌　　渡邉一輝（愛知・幸田高等学校三年）

渡辺光は「ぼうたん」にじっと対峙し、夕闇の息の湿りまで捉える。その感覚の芳醇。白井千智は「母の乳房」というやわらかな字余りを「豊満」へゆるやかに展開させ、みずみずしいいのちの「早苗月」に着地させる。渡邉一輝の綺想は恐竜時代や白亜紀の石とともに、キキキの脚韻で近代俳句の鬼才草田男を炎天によみがえらせる。どれも詩の結晶度と跳躍力がみごと。恐るべき秀句である。

一方で、性差別のない社会を希求する西村陽菜の俳句は鮮烈。

性別を暴く制服百合白し

性という製造番号七変化

風鈴やスカートを脱ぎ捨てる部屋　　西村陽菜（山口・徳山高等学校二年）

「性別を」は制服によって男か女か真っ二つに分けられることへの抗議。ＬＧＢＴＱであってもなくても、十代の性は白百合のごとく清らか。二句目はさらに過激なパンクロック。もって生まれた性は多様。紫陽花（あじさい）の濃淡のように七変化する。三句目はスカートをさっと脱いだとたん風鈴が生き生きと緑風に鳴りわたる。ジェンダーを俳句で新たに問い直す高校生が頼もしい。

Ⅸ　草田男と霊感

高校生の夏、歳時記の一句に釘付けになった。作者は中村草田男。

会へば兄弟(はらから)ひぐらしの声林立す　『火の島』

わけもわからず、なにかいいしれぬ大きな透明な感情に包まれていた。緑の渓でよくひぐらしの声を聞いていたせいかもしれない。幼児期からの川好きが高じて、中学、高校と、夏がくるのを待ちわびて、大井川上流の猫一匹いない渓間で泳ぐようになっていた。上笹間(かみささま)にある山荘へ通う父の連れであった。身を切るほど冷たい緑潭(りょくたん)に、いっしょに浸かってくれる酔狂な友など、いるはずもなかった。岩場にぽつんと腰掛け、この句をつぶやいていると、ひぐらしの声が雲母の薄いひとひらひとひらになって舞い降りてきた。「林立す」とうたわれたまぼろしの林に誘われてゆくと、まだ十七歳なのに、はるかな歳月を隔てて逢う、こころの同胞（はらから）が待っていてくれるのだった。わたしたちは眸をみかわす。逢えずにいた星霜の長さは、天上のひぐらしの声にたしかに記憶されているのだった。こうして草田男はふしぎな俳人として、すっくりと地平線にあらわれたのである。

明治三十四（一九〇一）年生まれの草田男は満八十二歳まで生きた。では俳人として、その句業は終焉まで成熟していっただろうか。いままでわたしは、『長子』『火の島』『萬緑』『来し方行方』『銀河依然』まで、前半生のあざやかな五句集によって、草田男を認識してきた。このたび初めて、終焉に至る全句業を読み通して、見たくないものを見てしまったような気がした。第六句集から最終の第八句集に至る『母郷行』『美田』『時機（とき）』と、それ以降の「萬緑」誌発表句である。数は厖大だが、俳句界のピカソと目してきたあざやかな草田男は、まぼろしのようにかき消えていた。

草田男は昭和二十一（一九四六）年、四十五歳で「萬緑」を創刊主宰する。朝日新聞俳壇選者となるのが昭和三十四年。五十八歳で、いわば俳人としての地位を上りつめた。翌昭和三十五年一月に現代俳句協会幹事長に就任するが、翌年十一月には辞任し、「俳句性護持」を目的とする俳人協会を発足させ、初代会長に就任する。三十七年には、両協会の分裂劇の渦中に巻き込まれ、心労から病臥、わずか半年で俳人協会会長も退任することになった。生前最後の句集『時機』は昭和五十五年刊行だが、収録句は昭和三十七年、六十一歳までの作品である。晩年は二十年間の長きにわたって、主宰誌「萬緑」や新聞発表のみで、句集は出さなかったのである。還暦前後の三年間の身辺の激変が、繊細な神経をよほど痛めつけたのだろう。
ところで俳句を論ずる前に、草田男の思想的背景にすこし踏み入ってみたい。まず仏教の理解と関心についてはどうだったのだろうか。仏教語が顕わに出てくる俳句は、初期句集にはほとんどみられない。後半の『母郷行』以後に数を増やしていく。

涅槃風廃墟にできし砂の類　『母郷行』
法の池堕ちて溺るる蝸牛　〃
炎天の「虚無僧」脛浄しそれでよし　『美田』
白蓮や浄土にものを探す風　〃
霧の半月「隻手の声」の光なす　〃
大往生は半眼相と花下に聴く　昭和四十年
拈華微笑の指頭の浄さ初日に想ふ　昭和四十一年
莫妄想の妄の字消えて睡蓮花　昭和四十四年

これら仏教語をつかった俳句は揃いも揃って紋切り型である。血が通っていない。最後の「莫妄想」の句からは、表現の苦闘から降りて楽になりたいという後ろ向きの姿勢まで、ありありと透けてみえる。

草田男は仏教については、無常の詠嘆と諦念という消極的な解釈しか持ち得なかったのではなかろうか。そこには、草田男が若かりし日に師事した虚子の俳句観、「極楽の文学」への反発が影を落としているように思える。昭和五十年十一月の「萬緑」誌の座談で、草田男は虚子の〈明易や花鳥諷詠南無阿弥陀〉を取り上げて辛辣な批評を展開した。

花鳥諷詠に依って万人が救われる、というのですよ。（中略）花鳥諷詠論というのが結局は英雄主義であり、然も教祖のような「南無阿弥陀」になるわけです。

俳人が「教祖」になってしまったら、詩はお終いといいたいのであろう。「ホトトギス」で研鑽しあった親友に、「茅舎浄土」といわれた川端茅舎がいる。その茅舎の夭折を悼む連作「青露変」の一句〈審判の剣に置く露消えしがごと〉を草田男は自句自解していう。

「芸の人」としてだけの茅舎ならば、私はそれを絶対に恐れるということはその頃に於いてさえあり得なかったろう。「求道の魂」としての茅舎の前にのみ私は心中ひたすらに畏れつづけた。茅舎は、私が自ら私の前に、高々と掲げたところの「審判の剣」其物であった。

（『句作の道』第二巻、目黒書店、一九五〇年）

草田男は、仏教者という〝異教徒〟茅舎の求道精神に、死後も逆照射され、苦悶し揺れている。この時期が、最後の光芒を放つ第五句集『銀河依然』の制作時期までにぴたりと重なるのである。現実の草田男は死の前夜に受洗し、カトリックで本葬された。最愛の直子夫人が結婚当初から熱心なクリスチャンであり、次第にキリスト教になじんでいったことが大きい。では年を重ねるごとに、草田男のキリスト教をテーマにした俳句はゆたかになっていったであろうか。

意外なことに、処女句集『長子』でみせた溌溂たる聖書の世界は、老いに向かって急速に内部から空洞化していくのである。その過程を追ってみよう。

手の薔薇に蜂来れば我王の如し　『長子』
やゝ寒の壁に無髯の耶蘇の像　『来し方行方』
虹より上に「高みを仰ぐ神」あるなり　『銀河依然』
蛼（いとど）被造亡びるけれど全くて　『母郷行』
アダムによりて死したるわれ等復活祭　昭和四十年
主は復活聖母は老いず笹鳴ける　昭和四十年
初弥撒や碧眼神父和語朗朗　昭和四十八年

一行詩としてのいのちが脈打つ俳句は、宗教を胸の奥底に抑え、おのれ自身の体重をかけた表現の葛藤のなかからしか生まれようがない。宗教におもねり、自己を委ねたとき、俳句は図式的になるほかはないのである。いわゆる「主人持ちの俳句」として。

では逆に、近代俳句に赫奕たる光芒を放つ草田男最盛期の作品群は、いったい何によってもたらされたものであろうか。

草田男が尊重し続けたのは芭蕉とニーチェ、この二人である。芭蕉からは俳人の精神と俳句の方法論をともに学んだ。しかし、なんといってもニーチェこそは草田男の精神の支柱ともいうべき存在であった。『来し方行方』収録の〈鳴るや秋鋼鉄の書の蝶番〉の前書には、「一九歳よりの愛読書『ツアラツストラ』訳書にて、二十数回、原書にて四回通読、今又原書を、初めより一節づつ読み改め始む」と誌されているのである。

ニーチェの哲学は、「ニーチェによって西洋哲学が終わった」と、哲学者木田元がいうように、ギリシャ哲学以降の西洋哲学全般の解体作業であった。神の実在を前提としてきた従来の西洋思想を『ツァラトゥストラ』は弾劾する。

いったい、なんという思想だろう。時間が失せていいというのか。移ろいゆく現世のあらゆる事象が単なる嘘であっていいというのか。

（『ツァラトゥストラ』『世界の名著　ニーチェ』手塚富雄訳、中央公論社、一九六六年）

その思想は、ショーペンハウエルとともに、仏教の受容があって初めて生まれたものである。しかしながらニーチェが中期以降読んだ仏教の文献として現在判明しているのは、オルデンベルクの『仏陀――その生涯、教理、教団』一冊であるという（橋本智津子『ニヒリズムと無』京都大学出版会、二〇〇四年）。早熟の天才ニーチェが、仏教思想の真髄である「空」を肚の底に摑めなかったとしても無理はなかった。そこから必然的に、

…人間は平等ではない…人間は平等になるべきでもない。わたしがそう言わなければ、超人へのわたしの愛は、いったいどうなるだろうか。（『ツァラトゥストラ』）

という超人思想に至る道筋が築かれてゆくのである。上へ、高みへ強く駆け上ろうという烈しい感情の奔騰とともに、この超人思想は、近代の芸術観の高峰をかたち造ってゆくことになる。

…無邪気さはどこにあるか。生殖への意志があるところにある。自分自身を超えて創造しようとする者は、わたしにとっては、最も純粋な意志をもつ者である。（『ツァラトゥストラ』）

この「力への意志」は、若き日の草田男を芯から勇気づけたにちがいない。こだまのように草田男はひびき返す。「私の技巧がそれを作るのではなく、私と外界とを共通に統べて居る莫大な力が

私をとおし、それを生んで呉れるのである」（「自句自解」『俳句研究』一九三九年三月）。さらにニーチエに共振して、「俳句誕生の際の、自然の生命との交流によって、自己の生命が唯一つに生き輝く、あのエクスタシーの瞬間」を求めるのだとも述べる（「自句自解」『俳句研究』一九三九年三月）。

外交官を父に持つ中国は厦門（アモイ）生まれの草田男は、十九歳からニーチェを読み解いた。父親譲りの「洋魂和才」の人として、西欧のニーチェを介して、東洋の仏教にふれたのである。明治生まれの知識階級が、仏教思想を西洋から逆輸入した大正時代とは、まことに興味深い時代だったのである。

草田男は生田長江訳で読んだと思われるが、わたしが高校生のとき、勉強そっちのけで夜ごと熱に浮かされて読み耽ったのは手塚富雄訳である。いま何十年ぶりにひもといてみると、その行間のあらゆるところから、今度はわが草田男の愛誦句が、次々にいきおいよく飛び出して来るのである。まことにめくるめく思いに誘われる。

精神のつよく深い類縁をうかがわせる『ツァラトゥストラ』の箴言（◇印）と草田男の句を、『銀河依然』（五十二歳刊）までの句集から並べてみよう。

◇いっさいの書かれたもののうち、わたしはただ、血をもって書かれたもののみを愛する。血をもって書け。そうすれば君は知るであろう、血が精神であることを。

父となりしか蜥蜴とともに立ち止る　『火の島』

雪女郎おそろし父の恋恐ろし　〃

◇まことに、自分自身の烈火のなかから、自分自身の教えが生まれてくることが、もっと意味のあることなのだ。

焚火火の粉吾の青春永きかな　『火の島』

炎熱や勝利の如き地の明るさ　『来し方行方』

◇泡だつ葡萄酒の香りをかいだときのように、鮮烈な空気にくすぐられて、わたしの魂はくさめする――くさめして、自分に向かって歓呼する、健康なれ、と。

三日月のひたとありたる噎かな　『長子』

◇肉欲。自由な心情にとっては、無垢で自由なもの、地上における花園の幸福、すべての未来が「いま」に寄せるあふれるばかりの感謝。

妻二タ夜あらず二タ夜の天の川　『火の島』

妻抱かな春昼の砂利踏みて帰る　〃

玉虫の熱沙掻きつゝ交(さか)るなり　〃

◇贈り与えようとすること、これをわたしは太陽から、このあふれる豊かさをもつものが沈んでゆくときに学び取ったのだ。沈みながら太陽は、その汲みつくせない豊かさから黄金を海へまき散らす。

曼珠沙華落暉も蘂をひろげけり　『長子』

蒲公英のかたさや海の日も一輪　『火の島』

◇遠い海中にある未発見の国を愛するのだ。わたしは君たちの帆に、その国をあくまでさがせと命令する。

玫瑰や今も沖には未来あり　『長子』

◇おお、空よ、……おお、永遠の泉よ、晴れやかな、すさまじい、正午の深淵よ。いつおまえはわたしの魂を飲んで、おまえのなかへ取りもどすのか……

南(みんなみ)に冬日日ねもす北蒼し　『来し方行方』

永久(とは)に生きたし女の聲と蟬の音と　〃

◇精神とは、みずから生のなかに切り入る生である。それはみずからの苦痛によってみずからの知を増すのだ。

ほととぎす問ひ問ふ「こころ荒れたか」と　『銀河依然』

『ツァラトゥストラ』と草田男は、もはや渾然一体である。これを霊感の書といわずしてなんと言おうか。こうして草田男は、近代の哲学史、文化史を画して屹立する偉大な奇書を血肉化し、固有の芸術の華を俳句にあざやかに咲かせたのである。

しかしながら霊感の泉は涸れやすい。青春は揺れ続け苦悶し続けることを本性とする。青春性の衰えは、そのまま草田男俳句の衰弱に結びついていった。右に挙げた芸術の光輝に包まれた俳句には、花鳥諷詠や俳味がしばしば陥りがちな表面的な「軽み」に逃げたものは一句もない。すべて一回、一回、対象への勁いグリップ力と、詩への豊饒な飛躍力とをもって実現した、真っ向勝負の果実である。こうした独自の芸術を稔らせるには、表現の苦闘へエモーショナルな炎を燃やし続け、精神をさらなる高みへと励起し続けるほかはない。それは理性ではいかんともしがたい。身体の底からいやおうなく湧き上がってくる渾沌のエロス的な衝迫である。いばらの径をわが身に引き受ける一所不住の志であり、渾身の格闘である。

草田男は、高校教諭から大学教授に栄進し、朝日俳壇選者、大結社「萬緑」の主宰と、五十代にして俳壇双六を上がりきってしまった。そうした社会的成功に加え、私人としても、最愛の人を妻とし、四人の令嬢に恵まれた良き家庭人であった。順風の人生は、おうおうにして、芸術家の魂を萎えさせ風化させていく罠になる。ましてや閃きの詩人草田男においてをや。『ツァラトゥストラ』はこう語った。

◇幸福がわたしを追いかける。それは、わたしが女を追いかけないからだ。幸福とはつまり一人の女なのだ…

表現の苦闘から降りたとき、霊感の書は、予言の書になったのであった。

X　渾沌と裸　井筒俊彦『意識と本質』から

アーチザンの跳梁

俳壇のピカソ、草田男はいった。

…洗練された芸人（アーチザン）がお互いに肩を叩いて、その教養を誇り合って楽しむ、いわゆる「かるみ」の世界になってきたように思う。
そういうことであってはならず、文学を第一義的ないのちの道だと考え、「自然・自己一元の上に」絶対的なものを求めて、まかり間違ったら死んでもいいという気持でいきたいと思う。

（「現代俳句と季語および写生」『季寄せ　草木花　夏　上』朝日新聞社、一九八〇年）

アーチザンとは、「技術はすぐれていても、芸術的神髄をきわめていないため、感動を伴わない作品をつくる者」（日本国語大辞典）のことである。技法の洗練と、言葉の組み合わせの上手さによって器用な句をつくる俳人が蔓延しているというのだ。草田男のいう「かるみ」は、毒にも薬にもならない旦那芸の大量生産俳句をあてこすっている。ことに、その「表層」の浮薄な賑わいを。

この草田男の憂いは、四十年が経ったいま、予言が的中した。もはや、俳壇にはこうした批判を受け止める気概さえ残っていないように見受けられる。芸能界は芸人の跳梁に任せよう。それより、

父となりしか蜥蜴とともに立ち止る　　草田男『火の島』

この草田男の心臓の鼓動さえ手に入れることができればいい。エメラルドの尾がきらめく。ものかげと日向のはざまに、青蜥蜴がひそむ。うすい腹の皮がひくひくする。「ああ、僕は父になったのだ」。人の子の親となったたじろぎが、ふいに大きな搏動になった。不安、畏れ、歓び、いずれとも名状しがたい感情が地から涌き上がる。「お前はみんな知っているのか」青蜥蜴につぶやく。一句のなかに永遠が立ち竦む。

反『嘔吐』へ

「かるみ」の市場、表層の喧騒から遠く離れて、哲学者のことばで語られた芭蕉論をみてゆくことにしよう。日本思想史において破格のスケールをもつ井筒俊彦（一九一四〜一九九三）である。井筒

の業績は、驚異的な語学の才を生かして、東西の両睨みどころか、イスラーム哲学までを包摂した広汎さにある。この文明の三本の矢をつがえた泰斗が、七十になんなんとして、「自分の実存の「根」は、やっぱり東洋にあったのだと、しみじみ」と思い至る。そこで「自分自身の内面に私の東洋を発見する」意欲をもって著わしたのが、主著の一つと目されることになった『意識と本質』（岩波書店、一九八三年／一九九一年、岩波文庫収録）である。

同書は、二十世紀中葉を風靡した文学作品、サルトルの『嘔吐』の一節に幕を開ける。

マロニエの根はちょうどベンチの下のところで深く大地につき刺さっていた。それが根というものだということは、もはや私の意識には全然なかった。あらゆる語（ことば）は消え失せていた。そしてそれと同時に、事物の意義も、その使い方も、またそれらの事物の表面に人間が引いた弱い符牒（めじるし）の線も。背を丸め気味に、頭を垂れ、たった独りで私は、全く生（なま）のままのその黒々と節くれ立った、恐ろしい塊りに面と向って坐っていた。

（岩波文庫、一一頁）

井筒はこの小説のくだりを、いったん次のように評価する。

絶対無分節の「存在」と、それの表面に、コトバの意味を手がかりにして、か細い分節線を縦横に引いて事物、つまり存在者、を作り出して行く人間意識の働きとの関係をこれほど見事

に形象化した文章を私は他に知らない。（一一一頁）

表層の意識が「存在」の無分節的真相にふれると、サルトルの「嘔吐」体験になる。これは事物から名前（ことば）が脱落することで、わたしたちが日常で「本質」と思っているものが脱け落ちてしまい、そこに目鼻のない怪物のような「存在」そのものが、ぬうっとあらわれる体験である。ことばというものが、いかに意識の「本質」と関わり、この世の存在を分節し分明にする作用であるかがわかる。だが、井筒の哲学者としての本領が発揮されるのは、じつはここからである。この『嘔吐』の主人公は、表層意識の世界に住んでいたがゆえに、絶対無分節の「存在」の前に突然立たされても狼狽するしかなかったのだというのだ。「そこにただ何か得体の知れない、ぶよぶよした、淫らな裸の塊りしか見ないのである」と。

では、ぶよぶよした「恐ろしい塊り」にたとえ直面したとしても、「嘔吐」したり狼狽したりしないでいられるのは、いったいどのような人間であろうか。井筒によれば、「深層意識が拓かれて、そこに身を据えている」東洋の哲人たちである。老子、僧肇（そうじょう）、龍樹、シャンカラ、イブン・アラビーと、中国、インド、イスラームの思想家たちが紹介される。そうして、この世の事物に「本質」などというものはどこにも存在していない、という否定の哲学、「無の形而上学」が小気味よく鳥瞰されてI章は了るのである。

じかの感動

Ⅱ章は、これらとは反対に、「本質」の実在性を全面的に肯定する強力な思想潮流を東洋思想のなかに探ろうとする。そこで真っ先に登場するのが、いっさいの抽象概念を嫌ったという本居宣長である。

…宣長は「あはれと情（こころ）の感（うご）く」こと、すなわち深い情的感動の機能を絶対視する。物を真に個物としてあるがままに、それの「前客体化的」存在様態において捉えるためには、一切の「こちたき造り事」を排除しつつ、その物にじかに触れ、そこから自然に生起してくる無邪気で素朴な感動をとおして、その物の個的実在性の中核に直接入っていかなくてはならない、というのだ。（三八頁）

おや、どこかでみた文のような気がして来ないだろうか。これはほとんど近代俳句の基礎理論に当てはめることができそうなのだ。宣長のひたすら感動の深さによって「物のこころ」を追求しようとする態度は、理屈を排除してもの（季物）にじかに触れ、季語の現場で素朴な感動をうたおうという、俳句入門書の第一章「写生」の心構えにぴったりと一致するのである。子規のことば「山川草木の美を感じてしかして後始めて山川草木を詠ずべし。美を感ずること深ければ句もまた随って美なるべし」（『俳諧大要』）とも平仄が合う。

この「本質」の実在性を肯定した本居宣長の「物のあはれ」は、「客観というのは諸法実相の謂いである」と、ありのままを余裕をもってうたう花鳥諷詠を唱えた「ホトトギス」の虚子とも、じつに親和的である。これは日本文化を支える精神構造の特色の一つを示しているといえるだろう。哲学的な粘り強さを持たない感性的なものの見方と、四季のめぐりに自然随順していこうとする心性の繊細さである。ことばを変えていえば、日本人の刹那主義と現場主義を暗示してもいる。宣長が『源氏物語』にみた「物のあはれ」という、一本の川の流域にあるものである。

ところで、井筒は片方ではこうもいう。

経験界で出合うあらゆる事物、あらゆる事象について、その「本質」を捉えようとする、ほとんど本能的とでもいっていいような内的性向が人間、誰にでもある。

真面目に俳句をつくる人は誰でも対象の「本質」を捉えたいと願うものだ。それが俳人のみならず、人間の普遍的かつ本能的な性向であるという井筒の見定めは、俳句の読みの問題に、のちのち大きくかかわってくるにちがいない。

芭蕉――「本質」の次元転換

さらに井筒の垂鉛は深まっていく。イスラーム哲学はその初歩において、あらゆる存在者にまつたく反対の次元で成立する二つの「本質」を認め区別するというのだ。その術語、フウィーヤと、マーヒーヤをつかって、西洋、亜細亜、中東の三つの文化圏の叡智によって模索され続けた「本質」像に迫ろうとする。ここがまさに本書の偉観であり奇観であるところだ。だが、井筒のマルチリンガルぶりに、わたしのような凡人はついていけない。混乱してしまう前に、次元の異なる本質二つの用語を整理してみよう。

第一、フウィーヤ＝個体的リアリティー。一般的意味での本質。先入観のない出会いによって見出す、事物の濃密な個的実在性の結晶としての「本質」。いっさいの言語化と概念化とを峻拒する真に具体的なXの即物的リアリティー。これであること。ドゥンス・スコトゥスの「このもの性」。

第二、マーヒーヤ＝普遍的リアリティー。特殊的意味での本質。意識の分節機能によって、普遍化し一般化し概念化した、事物の「本質」。それは・何であるか・ということ＝アリストテレスの「本質」。XをしてXたらしめるX性であり、Xの永遠不変の自己同一性を規定するもの。概念的一般者。

井筒は、プラトンのイデア、アヴィセンナの「本性（タビーア）」、フッサールの現象学、レヴィナスの「厳密ならざる本質」、メルロ・ポンティの言語化された「本質」を、次々に読み解き、人間の叡智の水が刻んだ谷川のこみちをかけ抜けて行く。そうして、そのII章のいちばん最後に試みられたのが、俳人芭蕉へのアプローチなのである。これはもっと大勢の人に注目されていいことではなかろうか。

ものにおけるこのマーヒーヤとフウィーヤとの結合、ないし同時成立を、きわめて独自な詩的、実存的体験の構造のうちに捉えた人物がある。俳人芭蕉がそれだ。リルケの立場に情熱的な形で見られるとおり、多くの詩人にはフウィーヤにたいする異常に強い関心がある。現実の経験の世界に生々と現前するものを、その時その場ただ一回かぎりの個的な事象として、あるがままのその純粋な原初性において、これらの詩人たちは自己の内部空間に定着させ、その上でそのものの純粋な形象を、日常言語より一段高次の詩的言語にそのまま現前させようとする。「本質」論の言葉になおして言えば、これらの詩人のポエジーはもののフウィーヤの飽くなき追求であって、この際、マーヒーヤは大抵の場合、徹底的に排除される。（五〇～五一頁）

ここまで読まれて、おや、ならば宣長もリルケに近くないのか、と疑問に感じる方がおられよう。しかし、リルケの場合は、フウィーヤにたいする意欲はともかくとして、背後にはマーヒーヤであるキリスト教文化がひかえている。そこに二重構造があるのである。宣長の〈敷島の大和心を人問はば朝日ににほふ山桜花〉という眼前一枚で行こうというのとは、やはりちがうのである。

「もののフウィーヤの飽くなき追求」といわれて思い出す芭蕉の句といえば、この句ではないだろうか。

初雪や水仙のはのたはむまで　芭蕉　四十三歳作

庭に出ると、夜来の初雪に水仙の葉がしなっている。雪間に、かどのない葉先がういういしい冬のさみどりをはしらせて。天地万象からいっさいが洗い落とされたようだ。観相の奥にある無垢なるもの。うぶないのちのたいはみ。

碩学はさらに芭蕉の核心に迫ってゆく。

永遠に不変不動と考えられる普遍的「本質」を、フウィーヤとの関聯において著しく動的でダイナミックなものとして彼（恩田注：芭蕉）は捉えた。

フウィーヤ追求の情熱のはげしさにおいて、芭蕉はいささかもリルケに劣らなかった、と私は思う。このものをまさにこのものとして唯一独自に存立させる「このもの性」、フウィーヤ、を彼は己れの詩的実存のすべてを賭けて追求した。他面、しかし、彼はフウィーヤの圧倒的な魅力に眩惑されて、普遍的「本質」、マーヒーヤ、の実在性を否認することもなかった。彼にとって、事物のフウィーヤはマーヒーヤと別の何かではなかったのだ。存在論的に、「不易」は「流行」と表裏一体をなすものであった。（中略）

「松の事は松に習へ、竹の事は竹に習へ」と門弟に教えた芭蕉は、「本質」論の見地からすれば、事物の普遍的「本質」、マーヒーヤ、の実在を信じる人であった。だが、この普遍的「本質」を普遍的実在のままではなく、個物の個的実在性として直観すべきことを彼は説いた。言いかえれば、マーヒーヤのフウィーヤへの転換を問題とした。マーヒーヤが突如としてフウィーヤに転成する瞬間がある。この「本質」の次元転換の微妙な瞬間が間髪を容れず詩的言語に結晶する。俳句とは、芭蕉にとって、実存的緊迫に充ちたこの瞬間のポエジーであった（中略）。

この永遠不変の「本質」が、芭蕉的実存体験においては、突然、瞬間的に、生々しい感覚性に変成して現われるのだ。普遍者が瞬間的に自己を感覚化すると言ってもいい。そしてこの感覚的なものが、その時、その場におけるそのもの、の個体的リアリティーなのである。

（五五〜六〇頁）

論理でせめてゆく哲学者にしてはいささか熱っぽい口調である。誰でも自分の根である「ふるさと」を語るときにはそうなる。井筒の純情にこちらも胸がじいんとする。しかし、「本質が生々しい感覚性に変成して現われる」、当の実例が挙げられていないのはいささかさみしい。僭越ながら井筒の意を汲んで数句を選ばせてもらうことにしよう。

海くれて鴨のこゑほのかに白し　　芭蕉　四十歳作

夏草や兵（つはもの）どもがゆめの跡　　〃　四十五歳作

閑さや岩にしみ入蟬の声　〃　四十五歳作
あかあかと日は難面もあきの風　〃　四十五歳作
行春を近江の人とをしみける　〃　四十六歳作

ここで使われている日本語は、お上から庶民まで流通していた日常のことばばかり。いわば表層でも共有されているみんなのことばである。それを芭蕉の「実存体験」は、一挙に詩の深層をもつことばに変換した。正確にいえば、表層であることを充分に保ちつつ、緊張感をはらむ深い詩のことばとして生まれ変わらせた。

そこに今度は、読み手の心の深浅が問われる新たな事態が出来することになる。読者の心の井戸によって、いかようにも一句の浅さと深さがやわらかで自在な変幻をみせるのである。じつは、これこそが俳句という詩の、切れと余白を楽しむゆたかさ、贅沢なのである。ひいては東洋の芸術が詩や書画において、気韻生動として尊んできた、豊饒なるこころの交流、感情移入にほかならない。

芭蕉の「本情」

いまここでは芭蕉の句の鑑賞をしているゆとりがない。先にふれてきた「本質」否定の哲人たち、得体のしれぬ言語脱落の真相に直面しても「嘔吐」しない東洋の思想を代表する禅者と芭蕉との違いがどこにあるのか、井筒の論のゆくえを見定めなければならない。芭蕉は周知のように臨済宗の仏頂和尚に参禅した。『おくのほそ道』でもその山居跡をたずね、〈啄木も庵はやぶらず夏木立〉の句を残している。芭蕉の思想と禅との関係に新たな興味が湧いてこないだろうか。

大部の書から、俳句表現や芭蕉につながる禅についての箴言をひろっていこう。ちなみに『意識と本質』のⅢ章以降では、意外にも「芭蕉」と俳句について再び言及されることはない。ここからは、俳句の作り手読み手みずからが、井筒の論に主体的に分け入っていくしかないのである。

> …存在の絶対無分節と経験的分節との同時現成こそ、禅の存在論の中核をなすものだ。（中略）「本質」が介入してこない、無「本質」のままでの存在分節、それが禅の問題にする存在分節である。（一三六頁）

前半の、存在の絶対無分節と経験的分節との同時現成は、先の芭蕉論において述べられた「マーヒーヤが突如としてフウィーヤに転成する瞬間」、「普遍者が瞬間的に自己を感覚化する」と重なるように思われる。しかし後半の、井筒オリジナルの禅の定義である「無「本質」のままでの存在分節」に至ると、両者の違いが明らかになる。芭蕉は先にみたように「本質」＝「本情」を大事にしたのだったから。しかし、同時にまたかすかな疑問が頭をもたげる。芭蕉の「本情」には、じつは無「本質」の匂いもかすかにやどされていたのではなかったかと。

旅寝してみしやうき世の煤はらひ　　芭蕉　四十三歳作
雲の峰幾つ崩（くづれ）て月の山　　〃　四十五歳作

すくなくともこういった句は、同書の真髄である存在の「無分節（ゼロポイント）」を通り抜けなかった人間には、詠み得ない句のようにわたしには思えるのである。

無への肉薄

無、空、涅槃、道、天、神……それら人類の形而上学のかなたにあるものを、古今東西、どれほどの叡智が追求してきたことだろう。かりそめに「無」といったところで、いったそばから「無」ではなくなる。なぜなら人間は、ことばにしたとたんにことばを実在視した観念に迷い込み、ことばを実体化してしまう病をもっているから。ここに絶対的な言語の矛盾がある。この本来ことばによる踏破の不可能のもの、言詮不及のものに、井筒は哲学者としての全存在を賭けて肉薄を始める。心魂をかたむけて、論理的なことばだけを駆使して、あたうかぎりの誠実さで、神秘のヴェールを剝ごうとするのだ。同書が、ただの名著にとどまらぬ奇書であり、奇峰である凄みをもつゆえんがそこにある。思考の岨道（そばみち）にはそこここに、瀧のようなことばが懸かっている。

…禅は全体的に、一つのダイナミックな認識論的・存在論的過程（プロセス）、あるいは出来事（イヴェント）、として捉

えられなくてはならない。（一四二頁）

…無分節という形而上的「無」の一点を経ているかいないかによって、分節（Ⅰ）と分節（Ⅱ）とは根本的にその内的様相を異にする。（一四四頁）

閑さや岩にしみ入る蟬の声　　芭蕉　四十五歳作

これは、ゼロポイントからの帰還の句とはいえないだろうか。図でいえば、無分節のほとりから分節（Ⅱ）に至る光景である。分節（Ⅰ）では、芭蕉は立石寺の岩山を、曽良と冗談をとばしながら汗をかきかき上っていく。うなるような蟬時雨。「あれっ」と気がつけば、おしっこをひっかけて木立をよぎる蟬。しかし、山上で芭蕉はそうしたさまざまな経験を超出することになる。一夏天に全身全霊でとびこむのである。そこに宇宙的ないのちの静けさを聴いたのであった。

『我と汝』（岩波文庫）の著者マルティン・ブーバーの文脈でいえば、「われ―なんじ」を、われと蟬の声のなかに、また、われと岩のなかに生きた。いや、生き切ったのである。そうしてゼロポイントに膚接した。わたしは芭蕉が井筒のいうゼロポイントまで行ったとはいいたくない。かすかに肌を合わせたのである。そ

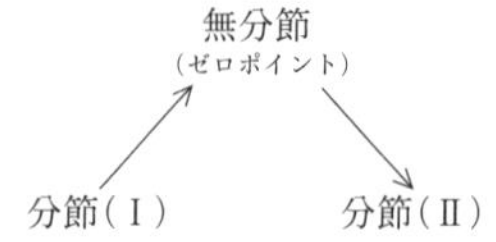

無分節
（ゼロポイント）
分節（Ⅰ）　分節（Ⅱ）

『意識と本質』岩波文庫、144頁より一部改変

こからふっとわれにかえって帰るみちすがら、この浸透する声が聴こえた。いのちの深部に。

浸透し合うこころ

『意識と本質』で随一の美しい箴言は次の一行であろう。

凝固点のない存在は流動する。どこにも遮るもののない世界で、事物は浸透し合う。

（一七三頁）

行春(ゆくはる)を近江の人とをしみける　　芭蕉　四十六歳作

芭蕉がいとおしんだのは逝く春だったか。この世のすべてだったか。あるいは淡海の水のひかりであったか。

あるとき、麦畑の熟れるほとりを信楽からの帰り、ふいに幻住庵に行きたくなった。埃っぽい道でやみくもにバスから降りてしまった。逢坂の関への登り口を横目にして過ぎ、小さな門のあいだの狭い石段をのぼっていった。中腹のなんともない庵のほとりには、ささやかな清水が涌いている。それ以外、なんのヘンテツもない小山だ。ところどころ木立を透かして、琵琶湖のしろがね色の明るみが望まれた。どこかなつかしい水明りだった。

そうだ、義仲寺まで行ってみようと思った。膳所の駅前から、なんともごみごみした賑やかな商店街が続く。間口一軒ほどの店からは焼きたてのパンの匂いがただよって来る。お腹が鳴った。義仲寺の境内も、箱庭のようだった。杣道（そまみち）ほどの通路を、ゆき交う人と身をかわしてよけあう。譲りあう。ああ、芭蕉も人なつかしかったんだと思った。義仲への追慕もさることながら、近江に骨を埋めたかったのだ。東西の人馬のゆき交うところ。文化のまじわるところ。なんといっても霞む淡海を湛えるところだから。いまも芭蕉は「己を拓いて流動する」。何百年経とうと、心と心は浸透し合う。

単純率直に申しますと、形而上学的な深みを欠いた水平的言語コミュニケーションは、禅に言わせれば実存的意味のないあだ事であります。（四〇八頁）

「コミュニケーション」を「俳句」に置き換えてみれば、井筒が芭蕉にだけアプローチした気持ちがわかる。桑原武夫はクソ真面目に「第二芸術論」を書いたが、井筒は次の矢を放つ気すら起きなかったとみえる。現代俳壇の殷賑はこのことばにトドメを刺される。とはいえ、底を突いたものはいつか浮かび上がることを信じたいのである。

感情の復権

わたしは、芭蕉以降に詠みつがれた深くゆたかな俳句が、井筒のいう禅的風光のなかにすべて抱き取られて満足するものであるとは考えない。むしろ、芭蕉はやや禅に傾きすぎたきらいがあるとさえ思うのである。日本文学史を振り返ると、たとえば、万葉集の東歌一首をみても、このような大きな感情がうたわれている。

さ寝らくは玉の緒ばかり恋ふらくは富士の高嶺の鳴澤の如　万葉集巻十四

共寝したのはほんの玉の緒のきらめきほどの束の間。たましいばかり。でもわたしは永遠にあなたに恋い焦がれる。ちょうど富士山の大沢崩れのように、石も岩も砕けて流れ墜ちるそのはげしい万年の轟きのように——。うつつの逢瀬のはかなさ短さと、思いの激しさ長さとが対比される。これはすでに「忍ぶる恋」の萌芽などというものではない。文学史上、情念のスケールにおいて冠絶するうたである。

ものがたりの御祖、竹取物語にも、つづく伊勢物語にも、人間のあらゆる感情の開放がみられる。古今和歌集の美意識をへて、新古今の定家、式子内親王へと情念は深淵を湛え、ついに恋の妄執は日本美の最高峰、世阿弥の幽玄にゆきつく。こうした日本人の精神史を思うにつけ、わたしは芭蕉の俳句が、知命あたりを境に、激情調の〈手にとらば消んなみだぞあつき秋の霜〉からにわかに諦観を帯び出し、さびやほそみに傾いてゆくことに、いま一歩あきたりないものを感じてきた。禅的な観相の深まりとともに、本来の熱情家芭蕉は、情を抑えようとして、自身のなかで揺れと超克を繰り返し続けたものとみえる。

…イスラーム自身をも含めて、東洋哲学一般の一大特徴は、認識主体としての意識を表層意識だけの一重構造としないで、深層に向って幾重にも延びる多層構造とし、深層意識のそれらの諸層を体験的に拓きながら、段階ごとに移り変っていく存在風景を追っていくというところにある。（三一六頁）

病中吟
旅に病で夢は枯野をかけ廻る　芭蕉　五十歳作

抑えようとしてきた感情が、絶命の床においてほとばしった。芭蕉は生涯脱皮をくりかえした。いわば無常を積極的に生きた。この最期の妄執のはげしさは、胸をうつ。能の「物狂い」の純一が思われる。「蝉丸」の姉十寸髪は、いまも狂い笹を手にして、逢坂山を歩いているにちがいない。あの幻住庵のほとりを。

「永遠不変の「本質」が、生々しい感覚性に変成して現われる」という井筒の芭蕉観に、わたしは一つだけ付け加えてみたい。

感覚性という近代の芸術用語では俳句はカタがつかない。もののひかりをやわらかな渾沌の肌にさぐって、ゼロポイントのほとりから素手素足で帰りくる人、それが俳人である。分節と無分節のはざまに生ききり、渾沌を恋う感情のゆたかさは禅をはみださずにはいられない。初雪に水仙の葉は、たはむ。

XI　新説『笈の小文』　切れと感情の大陸

心猿

冬木に三猿が遊んでいる。真ん中の子猿は紅葉がちらほら残る枝に腕をОの字にしてぶら下がっている。おや、前方の何かを目が捉えた。右脇から母猿が枝をしならせて近づく。長い腕を伸ばしてうながす。「行ってごらん」。左の折れた枯木に坐る父とおぼしき猿が、指を差してそそのかす。「そこだ」。小さな猿は満面の笑み。何に向かって飛ぶのか。親子につられて、ついわたしまでワクワクしてしまう。

さっきから宗達の『扇面散屏風（せんめんちらしびょうぶ）』の前をうろついていた。思いがけず、この秋初めての紅葉狩りをしている気分である。金地の大屏風に何十枚もの扇面が放恣に散っている。一面ずつの絵を覗いてゆけば飽きることがなかった。伊勢や源氏や平家物語に、水墨の高士の唐絵も混じる百種（ももくさ）のなかに、花薊（あざみ）や、桔梗や、猿の遊びもあった。そうか、と思った。貼り混ぜられた百扇を眺めることはなんとなく句集をひもとく気持ちに似ている。

いましがたまで悲鳴をあげていた足指のことなぞすっかり忘れていた。四日前、固定電話が鳴るのにあわてて、散らかしてあった厚くて固い本の山に足をぶつけた。みるみる小指が腫れ上がった。あー、骨折れた？　五年前とおんなしだ。愚かな自分を笑いながら、今回はちゃんと医者に行った。金属をウレタンで包んだ添木を足裏に当てられる。「なるべく安静にしていてくださいね」「はい」シュショウに頷いたものの前から決まっていた都内での用が済むと、向かった先は駅ではなかった。一歩ごとの痛みにうめきながら「痛いから絵がしみるんだよ。人魚姫なんてこんなもんじゃなかったんだから」。自分を慰めながら美術館から足を引きずって寄席にも回った。菊之丞にさんざんお腹を揺すって、新幹線に座ったら、夜はとっぷりと更けていた。

絵巻の切れ・扇面散屏風の切れ

二〇二二年も大勢の方々に支えられた。春には八年越しの『渾沌の恋人(ラマン)——北斎の波、芭蕉の興』（春秋社）、晩秋には句集『はだかむし』（角川文化振興財団／ＫＡＤＯＫＡＷＡ）を上梓させていただいた。句集の帯は「俳句絵巻」ということばで飾られた。「絵巻」は俳句の「切れ」に畳まれた「入れ子構造」を象徴する詞(ことば)である。切れと入れ子は、俳句だけではなく、あらゆる日本文化を解くカギなのである。それを代表する美術が平安末期の『源氏物語絵巻』『伴大納言絵詞』『信貴山縁起』『鳥獣人物戯画』の四大絵巻であり、列島の文化には目にみえない「絵巻の思想」が滔々と流れていることを詳説したのだった。

そうした文脈から芭蕉晩年の俳諧紀行『おくのほそ道』も、最初の『野ざらし紀行』も、句文による絵巻とみることが可能になってくる。ちょうど今冬、句と文だけでなく、絵図まですべて芭蕉による『野ざらし紀行図巻』が京都の嵯峨で八十年ぶりに公開された。国文学者の藤田真一は「本文と挿絵」と解説しておられるが、どうであろうか。芭蕉が筆を振るったあまたの絵は、もはや地の文に挿入され奉仕する脇役とはいえない。画文融合の絵巻一巻をなそうとする明白な意図に貫かれている。

そう、「西行の和歌における、宗祇の連歌における、雪舟の絵における、利休が茶における、其貫道する物は一なり」と揚言した、並外れた芭蕉の意欲は、日本美術の雄峰である絵巻の風雅にも参じようとした。そして芭蕉没後八十四年にして蕪村は、追慕のあまり、翁の手足となって、『奥の細道図』の絵巻をものしたのだった。

わが国では明治維新の近代以降、とくに現代は官制の縦割り社会よろしく、芸能百般がきれいに棲み分けられてしまった。美術と文学もまるで別もの扱いだ。ところが、近世までそれらはおおらかに交響し合い、奥行きを互いに深めてきたのだった。

では、いまからみてゆく『笈の小文』はどうであろうか。やはり『野ざらし紀行』『鹿島詣』『更科紀行』『おくのほそ道』等と同じように、絵巻のフォルムを踏襲したものとみるべきだろうか。いや、『俳文学大辞典』でさえ「雑然としており」「草稿的な形態が見られ」「繁簡さまざまである」

と、あきたらなさを縷々漏らしている。学者の評価もあまりふるわない。論文や評論の数も『おくのほそ道』とは比べようもないほど寥々（りょうりょう）たるもの。

　こうした『笈の小文』への軽視は、芭蕉の文学から発したものではなく、解釈鑑賞する側の、読みの硬直からもたらされたものではなかったろうか。そう問うてみるのは面白い。時系列の流れに沿う絵巻の型に嵌めて読み解こうとするから、構成がバラバラで乱れがある、と不備に映るのではなかろうか。

『小文』は他の四つの紀行文のような、いわゆる絵巻様式によって構想されたものではないであろう。驚くべきことだが、芭蕉の意欲と創意は、宗達以来の美術の様式、『扇面散屏風』を、己の文学にひそかに換骨奪胎しようとした可能性がある。現在では時系列や主人公がバラバラな小説は少しもめずらしくない。もしかして『小文』はそのひそかな嚆矢ではなかろうか。日本文学史上における新フォルムの出現といってみることができそうなのである。『おくのほそ道』が広壮な陽画（ポジ）なら、『小文』は珠玉の陰画（ネガ）の魅力をたたえている。

『小文』が、『扇面散屏風』の形式を構想して書かれたとする理由の一つは、扇面形式が絵巻形式よりもさらに大胆自由に時空を超越できることである。回想形式をとらずとも、時空を異にするユニットを場面ごとにきわやかに浮かび上がらせることができる。飛び石状の切れた連続を散らし、ひいてはルフランまでさせられるのである。

　その奥には、同形式を選び取った芭蕉のエモーショナルな動機が潜在しているだろう。一つには、

『小文』は発想の契機からして、そもそもただの旅行記ではなかったのだ。

　紀行という仮面の下にひそむ素顔は、男性同性愛者である芭蕉が生涯で最も愛した杜国への恋と鎮魂の情である。歌仙「冬の日」で、雪華のような詩魂をみせたかがやくばかりの名古屋の豪商杜国。その運命は暗転した。翌年にはたちまち尾羽うち枯らす罪人になる。空米売買の罪を着て領国を追放されたのである。翌々年の冬、芭蕉は伊良湖崎近く、杜国の配所を訪って契りを交わした。翌春、海路を使って伊勢で待ち合わせ、しのび逢う。万菊丸と名を変えた「まことにわらべらしき名のさまいと興有」る杜国と、芭蕉は『小文』の百日の蜜月旅行を遂げる。よろこびも束の間、今生の二人にはもう、たった二年の猶予さえ残っていなかった。むざんな夭折の麗人に、ほとばしる純一感情を捧げるのに、漆黒の大海に繚乱と擲つ扇以上にふさわしいものがあっただろうか。

　二つには、普遍的な人間感情の肯定である。芭蕉は恋に盲目のたんなる痴れ者ではなかった。自身の「山館・野亭のくるしき愁」「酔ル者の妄語」を人間の普遍的感情として、ゆたかな文藻を駆使して相対化しようとしたのである。

『笈の小文』を六曲一双の『扇面散屏風』になぞらえれば、右隻の第一扇は「百骸九竅の中に物有」であり、第六扇は伊勢の〈神垣やおもひもかけずねはんぞう〉であろう。左隻の第一扇は「弥生半過る程」の伊勢での杜国との再会であり、最終章となる第六扇は平家滅亡の「千歳のかなしび此浦にとゞまり、素波の音にさへ愁多く侍るぞや」であろう。

　散りばめられた扇面の多くは、杜国との出会いと恋の成就、永訣の声なき慟哭を伝えるが、二人のはかない恋のまわりには杜甫や源氏や謡曲など、古典に描かれた人間感情のふかい広がりがある。
芭蕉は日本文学の伝統の正嫡（せいちゃく）たる漂泊詩人の立場から、『おくのほそ道』を書いた。一方、『笈の小文』は、「うすもの丶風に破れやす」い「風羅坊」というあくまでも弱者の立場から、人間を描こうとしたのではなかったか。大団円では、眼前する須磨の海から、壇ノ浦に沈んでいった平家の公達や女房、二位尼と安徳帝の錦繍（きんしゅう）の裳裾（もすそ）を、夏のぶあつい海原の闇に絢爛と投扇してみせた。「酔（よへ）ル者の」妄語、眠る者の譫言（うわごと）として、確信犯的に、愚かで弱い、それゆえにいとしい人間の感情を吐露したのである。

こうして、感じやすく破れやすい「風羅坊」芭蕉の恋は、膝前におもむろに手繰ってゆく、ある種のどかなおもむきの絵巻にではなく、激情を大海に擲（なげう）ち真闇に散らす百扇図に結晶した。日本の諸芸を「其貫道する物は一なり」とした芭蕉は、宗達以降の琳派の精華の一つである『扇面散屏風』の形式を、おのれの恋を刻むにふさわしい至高のフォルムとして選び取ったものと思える。

花と夏月の思い人

『笈の小文』の詞書（ことばがき）めく短文も発句も、虚心に味わえば婀娜（あだ）たる一面の扇となって胸に降りかかってくる。集中、ことに水際立つ十余句の扇面を覗いてみよう。

旅人と我名（わがな）よばれん初しぐれ

芭蕉は旅ゆくものの哀れの扇を初冬のしぐれる空に投げ、歩き始める。そこに、唯一絶対神をもたない東洋人の「永遠の途上」としての姿をきざんでみせたのである。

時は冬よしのをこめん旅のつと

次いで副主題ともいうべき吉野への思いを打ち出す。花の匂いのない冬の吉野こそは俳諧である。それは芭蕉が精神の支柱とした『荘子』の鵬が南冥に徙（うつ）る雄渾壮大な旅ではない。弱さと愚かさを身に引き受けた人間のしんじつの感情劇であった。

鳴海にとまりて
星崎の闇を見よとや啼（なく）千鳥

杜国が流罪となった渥美半島の先端に近い保美（ほび）を尋ねるプロローグである。宇宙の闇は濃い。千鳥の繊（ほそ）い趾（あし）と嘴（くちばし）にダブルイメージされる杜国のいのちも闇の彼方に顫（ふる）えていることであろう。掲出句の直前には「人又妄聴せよ」の一扇が開く。何を妄聴せよというのか。妄語、うわ言である。妄念、妄執である。『笈の小文』に生きる芭蕉は『おくのほそ道』に感じられるような俳聖ではない。

一人の愚か者にすぎない。スティーブ・ジョブズのいった「ステイハングリー、ステイフーリッシュ」である。そこに「万歳を参えて一に純を成し、万物を尽く然りとして、是を以て相い蘊む」、禅宗の祖でもある『荘子』の、ひそかにして深い咀嚼、ひいては身体化を感じとることができよう。

鷹一つ見付てうれしいらご崎

「北冥に魚有り、其の名を鯤と為す、化して鳥と為り、其の名を鵬と為す」で『荘子』「逍遥遊」は開巻する。鯤は「化して鳥と為り、其の名を鵬と為す」が、名古屋の町代まで務めた豪商杜国は、いまや流罪落魄の身。「いらご白」の碁石のひかる浜高く、俗世の汚名も寒風も抜け出し、一羽の鷹となって翼を広げる。〈白げしにはねもぐ蝶の形見哉〉という留別吟もあり、白は杜国を象徴する色。芭蕉の願いが見出したのは冬青空に遊弋する一羽の白鷹だったにちがいない。

旅寝してみしやうき世の煤はらひ

芥川龍之介から川端康成へと深められた近代文学の死生観を象徴する「末期の眼」の淵源となる句である。無常の火宅の煤を払うところに俳諧ならではの〝微哀笑〟がある。

そこから一転、芭蕉は〈旧里や臍の緒に泣としの暮〉とみずからの生の原点に立ち返り、伊賀に生まれた漂泊の生涯を〈さまぐ〵の事おもひ出す桜哉〉と、花に振り返る。花は私淑する西行の歌とともに、わけても吉野にあった。

乾坤無住同行二人
よし野にて桜見せふぞ檜の木笠
よし野にて我も見せふぞ檜の木笠　万菊

両句の前に置かれた百数十字の紀行文は、生涯にこれほどこころ弾みよろこび満ちたことはない、というあでやかな彩りの扇面である。「ともに旅寝のあはれをも見、且(かつ)は我(わが)為に童子となりて」「自(みずから)万菊丸(まんぎくまる)と名をいふ」うつし身の杜国と芭蕉は、影と鏡のように照らしあい唱和する。本来はお大師様（空海）と共にする旅を意味する笠の標(しるし)である「乾坤無住同行二人(けんこんむじゅうどうぎょうににん)」は、芭蕉と杜国にあっては、このとき、恋の高らかな宣言、永遠の愛の誓いとなるのである。万菊（杜国）の句は従来、「吉野山で私も桜の花を見せてやろうよ、檜笠よ」と、芭蕉の畳句以上の意味を持たないものとして解釈されてきた。しかし、そうではあるまい。「我も」は花のなかの「花」を象徴する隠喩であろう。杜国こそ芭蕉の「花」なのである。

草臥(くたびれ)て宿かる比(ころ)や藤の花

雲雀より空にやすらふ峠哉

両句の無上のエロスのゆらぎについては拙著『渾沌の恋人(ラマン)』で鑑賞した。恋を成就した類ない名句は、芭蕉がわび・さび・軽みにとどまらない、懊悩し喜悦する芳潤な人間であることを物語る。両人の馥郁たるよろこびを三百年後のわたしたちもありありと生きることができる。それは日々新たな扇として、つぶやくものの胸に開かれるのである。

春雨のこしたにつたふ清水哉

吉野の西行庵にある同じ「苔清水」を素材としながら『野ざらし紀行』にある四年前の詠草、〈露とくく心みに浮世すゝがばや〉とはなんという違いであろうか。「春雨の」には花の枝をつたう雫に濡れそぼって満ち足りた二人がいる。定説では「芭蕉は吉野で念願の花の句を詠めなかった」といわれている。そんなばかな。言葉も忘れた浄福の思いを、「われいはん言葉もなくて」と記しているではないか。万菊は「花」であり、菊慈童でもあった。芭蕉は杜国という花を「よしのゝ花に三日とゞまりて」しっぽりと味わったのである。

衣更

一つぬいで後に負ぬ衣がへ

吉野出て布子売たし衣がへ　　　万菊

こちらの鏡像めく唱和も面白い。芭蕉は脱いだ衣を笈に収める。一方、万菊はうら若い肌の匂いにほてる花衣を脱いで売り払ってしまう。そうして杜国は吉野を出るやいなや忽然と掻き消える。あたかも虚空に消える蝶さながらに。合わせ鏡に映っていた麗人はもう二度と姿をみせない。その死も明示されない。万菊こそ、吉野山の花の精であった。

明石夜泊

蛸壺やはかなき夢を夏の月

『笈の小文』の掉尾をかざる珠玉の扇面である。現実には芭蕉と杜国は須磨に泊まった。しかし、芭蕉は前書にはどうしても源平の一ノ谷の古戦場のイメージがつよい須磨ではなく、「明石夜泊」と誌したかった。流謫の光源氏と明石の上の気高い出会いの風光を匂わせたかったのであろう。夏月の涼しくふりそそぐ「蛸壺」は、愛する二人の壺中天である。さらにもう一つ、「蛸壺」には、いままで誰にもいわれたことのない秘密が隠されていた。名古屋で杜国が華やかに営んでいた米穀商は、なんと「壺屋」という屋号だったのである。鑑賞してみよう。

名高い歌枕の地、明石の海辺に船泊りする。名古屋の大店、壺屋の若主人よ。思いもかけぬ運命のむざんに斃れた杜国よ。そなたと連れ立った百日の旅寝の夢は、波に沈む蛸壺に眠るはかなさに斉しかったのだろうか。さりながら、明石の浦に皓々と浮かぶ夏月はさながらそなたの顔。この涼やかさは誰にも冒されることはなかろう。

ここには夭折した白皙の詩人、杜国への鎮魂と熱情が幾重もの入れ子構造をなしている。〈白げしにはねもぐ蝶の形見哉〉と双璧をなし、しかも日本文学の歴史を包含する愛の金字塔といえよう。

感情の大陸

わたしたちが住みなしてきた花綵列島も、一つ一つの島は切れてつながっている。極東の粟散辺土の生んだ俳句という極小詩。そのなかにも切れがあり、その「白駒の隙」に底知れぬ入れ子構造が畳みこまれている。小さなスリットから目にみえない途方もない感情の大陸が涌き上がる。芭蕉が投扇したのは須磨の夜の海のみではなかった。地球という星に広がる果てしない感情の大地に向かって扇を擲ったのである。

わたしはいままで、『笈の小文』のいうなれば二流扱いを不審に思ってきた。『おくのほそ道』との評価の大差は、近代の理性偏重からもたらされたものではなかったろうか。人間感情がうすべったく衰弱してゆこうとしているいま、『笈の小文』は、コクのあるゆたかな感情の復権を告げる俳句紀行として、まったく新しいステージに立っているように思える。

あとがき

ノロマだ。運動会は五人で走り、三位まではリボンがもらえた。明日は運動会という夜。廊下の隅に煉炭火鉢があった。親のいないすきにこっそり体温計を持ち出す。あぶって熱を上げよう。パチッ。陶器の肌はまだじゅうぶんぬくとかった。ガラスの筒をそろりそろりと内側へ近づけていく。パチッ。水銀柱は粒になってはじけた。あの銀の珠はどこまでころがっていったのだろう。

運動音痴のくせに外遊びは楽しかった。安倍川のゆるやかな浅瀬をみつけては親戚の子とたがいに手ぬぐいのはしを持って、飽きもせずメダカを掬った。しとしと雨がふると、近所の山もちの板塀が宝石をつける。でんでん虫だ。大きいの、小さいの。うず巻きの濃いの、薄いの。何十匹もとった。しっこりとした王様が栗色の目を伸ばすと、わたしまで望遠鏡をつけたような気がした。土団子は白粉花のそばで作った。つばと泥でぴかぴか茶色にひかる目玉焼きを夕闇の底に残して帰るのが好きだった。一番は川泳ぎ。巌からみどりの淵に飛び込む。流れに身をまかせる。お日さまは底までちらめき、鮎が脇腹をよぎっていく。川面に三日月の鮎がぴちぴち跳ねるまで泳いだものだ。思えば、この世の感触を夢中で味わっていた。それが遊びだった。現代っ子が電子画面のゲームで遊んでいるのを見ると心配になる。大事な記憶は空と風のなかにあるから。

縄文人のような子ども時代を過ごすと、自然に本に惹かれていった。文は草するといい、句歌は詠草という。ことばも草木国土を織りなしていた。その肌ざわりは、子ども時代の、袋蜘蛛を土からまさぐりおこす感触、お地蔵さんの雨垂れ石のくぼみで、色水遊びに叩いた小石の握り心地とちっとも変わらなかった。よろこびは計算されない。抒情は捨てられた場所に生まれる。

草間彌生のけんらんたる絵画に息づく孤独のつつましやかなおののき。万太郎のやわらかな俳句の風合いは、近代という戦争の時代を生きてそれを奪われ続けたからではないのか。『おくのほそ道』の陰に隠れて、いままで日の当たらなかった芭蕉の『笈の小文』の秘められた手ざわり。分け入るほどに、いまや絶滅危惧種となった本物の表現は、ましら酒の香りを放った。作者の心臓が脈打つ。

本書は鈍足が二〇一三年から十年がかりで書き溜めた文章を自選し、手を入れたもの。風合いこそ、ことばの花。感情を濃やかに、ひいては生きる時間をゆたかに耕してくれる。

このような時代に、前著『渾沌の恋人(ラマン)　北斎の波、芭蕉の興』に続き、親身な配慮を尽くして企画出版していただいた春秋社と、担当編集者、手島朋子さんの熱意に、深い感謝の意を表したい。

お読みいただくお一人おひとりの胸を流れ星のようによぎって、ほっとする小さなあかるみになれたら……。新たな出会いにも心からの感謝をいたします。

二〇二三年八月十日　　　　恩田侑布子

初出一覧

序　星を見る人／『俳壇年鑑 二〇二〇年版』本阿弥書店、二〇二〇年五月号
Ⅰ　近代を踏み抜いて　『石牟礼道子全句集 泣きなが原』／「藍生」藍生俳句会、二〇一九年二月号
Ⅱ　皮膜と「興」　草間彌生と荒川洋治／『神奈川大学評論』第八十七号、二〇一七年七月
　　みなもとの子へ　荒川洋治『北山十八間戸』／『現代詩手帖』思潮社、二〇一七年九月号
Ⅲ　やつしの美　久保田万太郎の俳句
　　心に聴くなつかしみ／『俳壇』本阿弥書店、二〇二三年二月号
　　ふだん着のミニマル・アート／『俳句』角川文化振興財団・KADOKAWA、二〇二〇年六月号
　　けはいの文学／『図書』岩波書店、二〇二〇年九月号
　　切れの変幻美／「丘の風」三田俳句丘の会、第三十二号、二〇二二年十一月
Ⅳ　エロスとタナトスの魔境　飯田蛇笏／『俳句』角川文化振興財団・KADOKAWA、二〇二〇年二月号
Ⅴ　戦争、エロスの地鳴り　三橋敏雄／『証言・昭和の俳句 増補新装版』コールサック社、二〇二一年
Ⅵ　社会性俳句・巣箱から路地に　大牧広／『俳句』角川文化振興財団・KADOKAWA、二〇一九年七月号
Ⅶ　美への巡礼　黒田杏子／「藍生」藍生俳句会、二〇一八年十一月号
Ⅷ　現代俳句時評
　　近代の光と闇　正岡子規『獺祭書屋俳話・芭蕉雑談』／『朝日新聞』二〇一七年一月三十日
　　蛇笏の呪力　『飯田蛇笏全句集』／『朝日新聞』二〇一六年七月二十五日
　　震源としての俳句　『季題別 中村草田男全句』／『朝日新聞』二〇一七年五月一日
　　桃源へのほそ路　芳賀徹『文明としての徳川日本』／『朝日新聞』二〇一八年一月二十九日
　　百歳のユーモア　後藤比奈夫『白寿』／『朝日新聞』二〇一七年二月二十七日
　　土にあこがれた人　金子兜太追悼／『朝日新聞』二〇一八年二月二十六日
　　感応する老人格　大牧広／『朝日新聞』二〇一六年九月二十六日

切れの交響曲　有馬朗人『黙示』／『朝日新聞』二〇一七年十二月二十五日
地貌に耳澄ます　宮坂静生『季語体系の背景——地貌季語探訪』／『朝日新聞』二〇一七年十一月二十七日
美とエロス　高橋睦郎『十年』／『朝日新聞』二〇一六年十月三十一日
闇の声を聞け　高野ムツオ『片翅』／『朝日新聞』二〇一六年十二月二十六日
日光から月光へ　正木ゆう子『羽羽』／『朝日新聞』二〇一七年六月二十六日
発想の波長のながさ　鈴木太郎『花朝』／『朝日新聞』二〇一七年九月二十五日
月光の挑戦　上田玄『月光口碑』／『朝日新聞』二〇一七年五月二十九日
切れに畳まれたもの　オウム死刑囚、中川智正／『朝日新聞』二〇一六年八月二十九日
現実にがぶり寄る　「汀」・「天荒」／『朝日新聞』二〇一七年十月三十日
虚実の両岸　四十代半ばの二俳人　黒澤麻生子・田島健一／『朝日新聞』二〇一七年八月二十八日
二、三十代の俳人　一九八三年以降生まれの若手／『朝日新聞』二〇一七年七月三十一日
フクシマと十代の俳句　福島の高校生二人／『朝日新聞』二〇一六年七月二十五日
17歳の17音　神奈川大学全国高校生大会／『朝日新聞』二〇一七年三月二十七日
破格の高校生　『17音の青春』／『朝日新聞』二〇一八年三月十九日

IX　草田男と霊感／季刊俳句同人誌「晶」第五号、晶俳句会、二〇一三年八月

X　渾沌と裸　井筒俊彦『意識と本質』から／『アナホリッシュ国文学』第五号、響文社東京分室、二〇一三年十二月

XI　新説『笈の小文』　切れと感情の大陸／『現代俳句』現代俳句協会、二〇二三年一月号

著者略歴

恩田侑布子（おんだ・ゆうこ）

俳人・文芸評論家。1956年9月、静岡市生まれ。早稲田大学第一文学部文芸専攻卒。「酔眼朦朧湯煙句会」、連句「木の会」に終会まで所属。攝津幸彦の「豈」同人を経て、現在「樸（あらき）」代表。

日本文藝家協会会員、現代俳句協会賞選考委員、神奈川大学全国高校生俳句大賞選考委員。

国際交流基金の援助のもと、パリ日本文化会館客員教授としてコレージュ・ド・フランスを始め、リヨン、エクスマルセイユの大学などで6回の講演をおこなう（2014年、2019年）。

句集に『イワンの馬鹿の恋』（ふらんす堂、2000年）、『振り返る馬』（思潮社、2005年）、『空塵秘抄』（KADOKAWA、2008年）、『はだかむし』（KADOKAWA、2022年）。評論に『余白の祭』（深夜叢書社、2013年）、『渾沌の恋人　北斎の波、芭蕉の興』（春秋社、2022年）。編著に『久保田万太郎俳句集』（岩波文庫、2021年／Amazonオーディブルによる解説朗読、2022年）。共著多数。

評論集『余白の祭』により第23回Bunkamuraドゥマゴ文学賞。句集『夢洗ひ』により第67回芸術選奨文部科学大臣賞、2017年第72回現代俳句協会賞。論作の実績により2018年第9回桂信子賞。

ウェブ誌　樸俳句会　http://araki-haikukai.sakura.ne.jp

星を見る人　　日本語、どん底からの反転

2023年9月18日　第1刷発行

著　　者――恩田侑布子

発 行 者――小林公二

発 行 所――株式会社 春秋社

〒101-0021 東京都千代田区外神田2-18-6
電話 03-3255-9611
振替 00180-6-24861
https://www.shunjusha.co.jp/

印刷・製本――萩原印刷 株式会社

ISBN978-4-393-44424-5
JASRAC 出 2305509-301
定価はカバー等に表示してあります

恩田侑布子
渾沌の恋人（ラマン）北斎の波、芭蕉の興

十七音の芸術表現を起点に、俳人の筆は縦横無尽に芸術・文学の源泉へと分け入る。なりかわり、のりうつるところに生ずる美とは。日本人の美意識の根源を探る壮大な旅。

２５３０円

正木ゆう子
現代秀句〈新・増補版〉

言葉の絶景を味わう。現代俳句の海から掬いあげた十八句を新たに加えた、時代を超えて伝えたい二百五十四の名句。十七音の世界の可能性を無限にひらく鑑賞への誘い。

２２００円

山路麻芸
万葉の女性たち

「万葉集」にその名をとどめた女流歌人をはじめ、名もなき市井の女性たちの心情や自然観、生き方が瑞々しく描かれる。古代人の歌に込められた嫋やかな抒情的世界が甦る。

１９８０円

新関公子
根源芸術家　良寛

従来の「宗教的良寛像」を払拭し、純粋な芸術的営為のありようを照射する試み。書の造形的先駆性と詩人・思想家としての近代的表現の真骨頂を多様な作品から読み解いた労作。

５２８０円

＊価格は税込（10％）